TROUS DE MÉMOIRE

Madeleine Chapsal mène, depuis toujours, une double carrière de journaliste et d'écrivain. Elle a fait partie de l'équipe fondatrice de *L'Express*.

En ce qui concerne sa carrière littéraire, elle a notamment publié : aux éditions Grasset : *Une femme en exil, Un homme infidèle, Envoyez la petite musique..., La Maison de Jade*. Aux éditions Fayard : *Adieu l'amour, La Chair de la robe, Une saison de feuilles, Le Retour du bonheur, Si aimée, si seule, On attend les enfants, Mère et Filles, L'Inventaire, La Jalousie, Suzanne et la Province, La Femme abandonnée, Oser écrire, Ce que m'a appris Françoise Dolto, Une femme heureuse, Une soudaine solitude, Le Foulard bleu, Les amis sont de passage, Paroles d'amoureuse, La Femme en moi, L'Embellisseur, Jeu de femme, Divine passion, Dans la tempête, La Maison* et *Les Chiffons du rêve*. Aux éditions Fixot : *L'Inondation*. Aux éditions Stock : *Reviens Simone, Un bouquet de violettes, Meurtre en thalasso* et *Ils l'ont tuée*.

Un film a été tiré de *La Maison de Jade* et des téléfilms de *Une saison de feuilles* et de *L'Inventaire*.

Madeleine Chapsal est membre du jury Femina depuis 1981.

MADELEINE CHAPSAL

Trous
de mémoire

FAYARD

Jusqu'à quel point ?

Jusqu'à quel point perd-on la mémoire « exprès » ?

C'est la question que je me pose après avoir vu tant de gens, des proches, des très-chéris, s'enfoncer dans le noir de l'amnésie. En fait, dans le soulagement d'une perte de plus en plus totale de leur conscience.

Au début, cela ne va pas sans effroi.

Je revois Maman arpentant sa chambre à pas de plus en plus menus : « Où sont mes clés ? Où est ma bague ? Qu'ai-je fait de mon carnet de chèques ?... »

Tous objets fétiches pour elle, comme ils le sont aussi pour nous.

Une ride verticale barrait son front, une lueur d'angoisse persistait dans son regard qui se fixait sur moi — me reconnaissait-elle ?

Peut-être pas en ces moments-là : j'étais seulement l'aide tutélaire qui allait lui permettre de retrouver ce qu'elle cherchait — en fait, elle-même.

Car la mémoire, c'est nous-même.

Sans mémoire, nous ne sommes rien.

Bientôt, Maman allait oublier jusqu'à ce qu'elle cherchait. Et aussi l'emplacement de ses meubles, de ses tiroirs. Puis le visage, l'identité de ceux qu'elle aimait et qui l'entouraient.

Vint le temps où je n'étais plus sa fille, parce que j'étais décemment trop « vieille » pour le rôle. Alors qu'elle-même avait plus de quatre-vingt-dix ans, ses filles, sa fille ne pouvaient être que les petites jeunes de quinze, dix-huit ans, venues pour la garder, lui tenir compagnie et auxquelles, dans un sourire de tendresse qui ne m'était plus destiné, elle disait : « Chérie ! »

À être ainsi niée, oubliée, quelle souffrance pouvait être la mienne !

Ce qui comptait pour moi — sans doute est-ce cela, l'amour — c'est qu'elle se sentît le mieux possible. Or, quand elle pouvait appeler « chérie » une jeune fille, elle se croyait revenue au beau temps de sa jeunesse de mère et un sourire radieux illuminait son visage.

Ce sourire, je voulais le ressentir au fond de moi comme un cadeau, un don de l'existence qui, pourtant, ne nous gâtait pas, en ce temps-là. Ou était-ce que ses dons, nous ne savions pas les recevoir ?

Maman — sans mémoire — savait aimer la vie, et mieux que nous.

Nous avons tant de façons de perdre la mémoire ! Celle de Maman me paraît la plus noble ; elle a pris la voie royale : on ne conserve rien de soi — si je puis définir ainsi l'oubli total !

Tous ceux qui sont affectés par l'Alzheimer nous impressionnent par la désinvolture, qui frise l'insolence, avec laquelle ils s'abandonnent au dépouillement, puis au néant. Au rien.

Une forme manifeste de suicide. Ostentatoire. Terrifiante.

Les tableaux anciens représentent souvent un personnage qui tient une tête de mort dans la main — ou alors la boîte crânienne est sur une table, dans un coin de la toile, posée là à la fois comme rappel de la fin de tout et symbole de la périssabilité universelle. « Tu n'es que ça... » De l'os.

Dedans, il y a ton cerveau. Cet amas de matière molle qui te permet de te prendre pour toi-même, de te reconnaître dans un nom, de le décliner ou de le proclamer.

Lorsque Christian Marquand s'est perdu pour la première fois dans les rues de Paris et a été ramassé par la police, il ne pouvait plus citer son nom. (C'est aussi arrivé à Maman en villégiature dans le Midi.) Vous imaginez la tête et même le désarroi des agents ou des gendarmes : qu'est-ce que c'est que ces « suspects » qui n'ont pas de nom, et qui vont jusqu'à en rire ?... « Qui je suis ? Mais je ne le sais pas... Suis-je, d'ailleurs ? Et vous, qui êtes-vous, mes bons enfants ? »

Ceux qui s'acharnent à inventer l'arme fatale contre l'humanité ont-ils pensé à celle-là : une nation entière perdant la mémoire ? Du fait d'un produit répandu dans l'air ou dans l'eau... Quelle pagaille ! Quel défi, aussi, à la nature, à la vie, à l'Histoire !

Car nous sommes histoire et désirons faire histoire.

L'Histoire est le fondement de notre culture. Tout passe par la transmission, d'une génération à l'autre, de savoirs, de techniques, de méthodes. Et s'il n'y avait soudain plus aucune « mémoire » à transmettre ? Si elle venait à être effacée comme une ardoise à coups d'éponge ?

Si la Terre un jour perdait sa mémoire de planète, tout A.D.N. anéanti ? Que l'univers serait triste, rendu à l'inconscience sidérale !

Craindre de mourir, c'est d'abord avoir peur de perdre la mémoire.

Combien de gens meurent vivants !

Comme il est pénible de s'entretenir avec quelqu'un qui se refuse à admettre un fait dont vous êtes pourtant assuré ! Dont ensemble — d'après vous — vous avez été les témoins...

« Enfin, rappelle-toi, grand-mère est venue nous voir à Royan le jour de ton anniversaire.

— Je n'ai jamais passé d'anniversaire à Royan ! D'ailleurs, Mémée ne voyageait pas. »

Ça peut aller loin, depuis le détail dérisoire — « Je n'ai jamais porté de jupe verte... » —, jusqu'à l'essentiel : « Je ne connais pas cette personne, je ne l'ai jamais rencontrée... » ou : « Cet enfant n'est pas de moi... »

Quand c'est du mensonge, passe encore : niés, truqués, dissimulés, les repères restent présents, vous et votre mémoire ne perdez pas pied. On vous ment !

Mais quand l'autre est de bonne foi : est-ce sa mémoire qui lui joue des tours —

mais si c'était la vôtre ? — ou bien est-il mythomane ?

Longtemps j'ai détesté la fréquentation des mythomanes. Du fait, sans doute, que n'étant pas assez sûre de « ma » réalité, c'est-à-dire de mon identité, de ma propre existence, je redoutais ces affabulations qui me jetaient dans le déséquilibre.

Désormais, les mythomanes m'amusent, avec leur *make-believe* (comme disent les Américains pour désigner le « cinéma »). On « joue » avec la réalité pour en démultiplier les effets et les images comme dans une galerie des glaces...

Qu'est-ce qui me donne cette nouvelle assurance ? Ma mémoire, bien sûr... Ce que j'ai vécu et que je tiens serré et bien en ordre dans mon paquetage. Ceci, depuis que j'ai été en analyse où, peu à peu, j'ai tout recensé, déplié, replié comme lorsqu'on procède à un inventaire. Un type de perquisition que je connais pour en avoir subi plusieurs à domicile...

On touche là un point controversé : ce qui se dit, s'évoque, se remémore en analyse au fil de multiples séances, est-ce vrai ? exact ?

Ce qu'il y a alors de reposant, c'est qu'on y est seul avec un individu — un thérapeute — qui n'est pas censé connaître la réalité des faits, ni s'y intéresser. Vous pouvez entreprendre une analyse en prétendant que vous êtes marié alors que c'est faux, et la poursuivre en étayant la fable.

Jusqu'à ce que vous en ayez marre de votre fiction. L'analyste, pour sa part, n'en a cure (si je puis ainsi lacaniser !). Ce qui l'intéresse, c'est la façon cohérente dont vous élaborez votre discours cependant que, par vos contradictions, vos lapsus, vos dénis, vos rêves, quelque chose en vous dément continuellement vos beaux dires. Comment une autre mémoire attaque sans cesse votre mémoire consciente, la seule émergée.

Tel est le travail de l'analyse : séance après séance, détruire les fables, les menteries — autrement dit nos défenses... — comme la mer, à Étretat, sape et désintègre peu à peu la falaise.

Arrive-t-on un jour, par ce jeu, à la vérité vraie ? Ce que j'ai expérimenté, c'est qu'on s'habitue à vivre entre deux mémoires : la fausse, la superficielle, celle de la pensée, et la vraie, qui s'enracine au tréfonds du corps. On peut dire aussi : la bonne et la mauvaise, l'encourageante et la désespérante. Une mémoire vous aide à vivre, à continuer, cependant qu'une autre vous pousse à mourir...

Il est des douleurs si fortes, des atteintes à la personnalité si insupportables, une horreur si surhumaine que, plus le temps passe, plus je suis convaincue que la plupart de ceux qui « attrapent » l'Alzheimer ne le font pas comme on chope le sida — il ne s'agirait pas d'un virus —, mais se mettent en état de perdre « exprès » la mémoire. Pour que cesse pour eux l'abomination. L'inadmissible.

À chacun son intolérable.

Quand je songe à la vie de ma mère, cette extraordinaire trajectoire d'une petite Limousine vers la beauté et la réussite, soudain cassée par la guerre, les deuils, la faillite, l'angoisse de l'avenir, la solitude de l'âge, la fatigue du corps, je comprends qu'elle se soit réfugiée dans un oubli « anatomique »... Sans culpabilisation possible.

J'entends par là qu'on ne peut rien reprocher à quelqu'un dont les cellules défaillent, qui ne produit plus assez d'acétylcholine pour informer ses neurotransmetteurs et dont le dysfonctionnement biologique laisse les médecins pantois.

Au début, on les « dispute », ces oublieux, comme on fait pour n'importe quel étourdi, quel que soit son âge : « Et ton cahier ? Et ta potion ? » Mais quand le médecin a diagnostiqué : « Ce sont les symptômes de l'Alzheimer... », vous n'avez plus qu'à vous incliner. La perte de la mémoire a triomphé. De qui ? Mais de vous ! Maman, archilucide, nous a lancé sur un ton vainqueur, avant de quitter jusqu'à l'usage de la parole : « Mes pauvres enfants, je perds la mémoire, c'est tant pis pour vous... »

Elle allait vivre ainsi jusqu'à quatre-vingt-dix-neuf ans. Adorée, sustentée de toutes les façons. Oui, c'était bien tant pis pour nous...

Et comme nous y tenions ! Quel malheur ce fut de la perdre un jour, malgré tous nos soins, car, sans mémoire pour elle-même, elle était charnellement devenue notre mémoire à nous tous. Son visage plus beau, plus jeune, plus détendu, plus heureux qu'autrefois, nous parlait sans cesse de notre engendrement, de notre arrivée et de notre maintien en ce monde.

« Maman est heureuse ! » disait ma sœur, se fiant à ce masque presque bouddhique.

Je pense que Maman l'a voulu ainsi.

Si j'interroge Nadine Trintignant sur la vie de son frère Christian, elle me dit aussi qu'au moment où ce bel acteur vieillissant, célibataire, sans enfants, a commencé à se détacher de sa mémoire, il avait sans doute des raisons affectives et professionnelles de le faire. Le biologique a bien voulu obtempérer.

De même pour le cancer, voire d'autres maladies plus ou moins immunodépressives, et, dans mon cas, pour la stérilité. (Je l'aurais « cherchée » d'après une analyste.)

Ensuite, la destruction galope comme malgré nous, mais, au départ, la maladie est comme un choix de l'être souffrant. Une vengeance de l'esprit déçu, blessé par cette mise en chair qui ne parvient pas au but qu'on estimait promis : le bonheur !

La faute à qui ? Au destin, à l'entourage, à la société, au manque de chance ? Peu importe : on se venge par ces lents suicides que sont la détérioration physique et mentale, ce « non » jeté à la face de la Vie — cet implacable mouvement de la Vie quand il ne paraît viser qu'à sa reproduction.

Et si l'invention de l'arme atomique, avec son pouvoir d'annihilation de la planète, était une vengeance de l'individu frustré contre cette chaîne de la Vie qui, depuis ses débuts, utilise chacun de nous comme un maillon en vue d'un projet qui le dépasse et lui échappe ?

La vengeance — par refus de vivre — commence tôt. On sait que des bébés se suicident : anorexie, réduction de leurs fonctions vitales. Non qu'ils manquent de mémoire — au contraire, ils en ont trop ! Ils n'ont pas aimé ce qui leur a été imposé, déjà dans le ventre de leur mère, puis à la naissance et tout de suite après...

Quant à ceux qui décident de rester en vie, ils ont une autre façon de nous faire savoir qu'ils n'apprécient pas : la schizophrénie.

« Une maladie génétique, biologique, décrètent les neuropsychiatres. On en viendra à bout, vous verrez... »

En détruisant chimiquement la première mémoire ? Ou en la « remontant » autrement ?

Certainement pas en l'ignorant, et si la chimie s'attaque à quelque chose dans le corps, c'est à ce qu'on peut appeler l'« imprégnation ». La marque, la trace, le signe d'une histoire passée qu'il s'agirait d'éradiquer.

Même les ordinateurs ont des maladies de la mémoire qu'on nomme alors « virus ». Et qu'on traite par des « désinfectants ». Mon « Mac » est perpétuellement menacé — par moi — de se voir « désinfecter ». Est-ce à cause de cela ? Pour l'heure, il se tient à carreau, n'oublie rien, ne m'oublie pas ! Toutefois, je me méfie de lui comme je me méfie de moi. Nous sommes tous deux des tricheurs potentiels.

Oublier, c'est tricher.

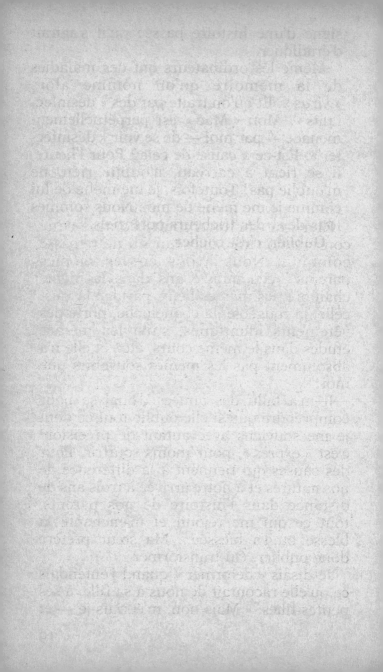

Rien ne m'horripilait comme une conversation avec ma sœur sur notre passé commun. Nous avons eu les mêmes parents, vécu quinze ans dans la même chambre, les mêmes lieux, partagé la varicelle, la rougeole, la coqueluche, porté des vêtements identiques, suivi les mêmes études dans le même cours, etc., et elle n'a absolument pas les mêmes souvenirs que moi !

Il m'a fallu des années d'analyse pour comprendre que si elle oublie tout ce dont je me souviens avec autant de précision, c'est « exprès », pour moins souffrir. Pour des causes qui tiennent à la différence de nos natures et à notre arrivée à trois ans de distance dans l'histoire de nos parents, tout ce qui me réjouit et m'enchante la blesse ou l'a blessée... Ma sœur préfère donc oublier. Ou transformer.

Je disais « déformer » quand j'entendais ce qu'elle racontait de nous à sa fille, à ses petites-filles. « Mais non, m'écriais-je — et là, c'était mon tour de l'horripiler —, ça ne s'est pas passé comme ça ! »

Qu'en sais-je ? À chacun sa mémoire, et si notre commune histoire s'est déroulée « comme ça » pour elle, tout autrement que pour moi, c'est « sa » vérité. Je n'ai qu'à l'accepter tout en gardant « ma » version. C'est même amusant, ces différences.

Cette tolérance — nouvelle chez moi —, c'est l'analyse qui m'y a conduite, dévoilant ma capacité d'envisager qu'à partir d'une réalité identique, j'aie le droit de me construire une histoire, et ma sœur une autre.

Laquelle de nous deux est la plus « menteuse » ou la plus oublieuse ?

J'ai entendu Jacques Lacan — ou est-ce Serge Leclaire ? Ah, mémoire ! — déclarer : « Faire une analyse, c'est se reconstruire une enfance qui fasse de soi un être viable, avec un avenir vivable... » Raccourci, bien sûr, mais qui rend justement compte du travail analytique. Une analyste me racontait comment elle avait dit à un enfant, anéanti par le fait que son père ne se manifestait jamais : « Mais il t'aime, bien sûr, c'est ton père, il pense à toi ; si tu n'en as pas de nouvelles, c'est qu'il ne peut pas t'en donner. Cela va venir, et en attendant, travaille pour qu'il soit fier de toi quand vous allez vous retrouver !... » Mensonge ? Vérité ? Méthode de restructuration, en tout cas : une fois son histoire revisitée par un œil aimant, rasséréné sur son passé, l'enfant recommence à se développer.

Que demander de plus à la mémoire que de nous mettre en amitié avec nous-même encore et encore, jusqu'au bout ?

J'ai passé ma vie — et je continue — à me rendre ma vie meilleure en me la racontant de la façon la plus merveilleuse possible. C'est dans cet esprit que j'ai donné un jour une interview sur mon enfance sous le titre : *Ma merveilleuse mère*... Étant plus jeune, Dieu sait pourtant si je la critiquais : Maman ne m'avait pas donné ci, elle ne m'avait pas expliqué ça...

Et mon père que j'ai si longtemps négligé, repoussé ! Sur le tard, j'ai cohabité avec lui et l'ai aidé à transcrire ses mémoires, d'abord au magnétophone, ensuite sur le papier, travail conjoint qui a donné naissance à un livre : *Cent Ans de ma vie*. Ce récit, destiné à rétablir l'idée que je me faisais de lui, vient maintenant en aide à des lecteurs de tous âges. Ils me l'écrivent, me le répètent : « Quand j'ai le cafard, je relis le livre de votre père. Quel optimisme, comme il sait vous faire aimer la vie !... »

Bien sûr, puisque c'était fait pour... Notre commun effort de rétablissement a réussi !

Transcrire ses souvenirs, du moins ceux qu'on choisit de se remémorer pour les transmettre ensuite sous une forme heu-

reuse, acceptable, optimiste, positive, gué-
risseuse, est-ce mentir ? Injurier la
mémoire ?

La « trouer » ?

Sans mémoire, on n'est rien du tout. (Ou presque, nous en reparlerons...) Mais, avec une mémoire comme la mienne, aiguë, précise, constante, qui ne me lâche jamais, que devient-on ?

Je le dis tout net : handicapé !

Je rêve, oui, de me retrouver comme à cinq, dix, vingt ans, la mémoire à peu près vierge. Ne serait-ce pas cela, la vraie virginité ?

Si la perte de la virginité physique fait événement chez les filles, cela tient moins au percement de l'hymen qu'aux pressentiments (qui sont des souvenirs de l'espèce) que cette violence fait naître. Aucune fille n'oublie cette « première fois », moins à cause de la douleur — on en oublie de pires — que pour s'être trouvée confrontée à la réalité de l'acte sexuel, si éloignée de ses rêves. Encore plus, évidemment, au temps où on ne prévenait pas une fille de ce qui l'attendait. Que la femelle en accepte ou non l'augure, la dévirginisation préfigure les affres de l'accouchement. Sans compter les nombreuses investigations de son vagin et de son utérus que vont pratiquer les médecins. Au bout de je ne sais combien d'actes gynécologiques, on fait comme si cette partie de soi, pourtant intime, ne vous appartenait pas : « Allez-y, messieurs-dames, la porte est ouverte... Visitez ! »

Toutefois, on hait.

Une analyste, à qui je parlais des sévices commis sur des enfants et de leurs suites psychiques éventuelles, me disait : « Tu sais, dès qu'un enfant tout petit, un nouveau-né, est allé chez le médecin, il a été soumis à un processus sadique — investigation de tous ses orifices, piqûres... — qui le marque pour toujours. »

Une torture qu'il « fait semblant » d'avoir oublié ! Pour tenter de vivre heureux-zé-tranquille !

Que de choses je fais semblant — vis-à-vis de moi-même — d'avoir oubliées !

Mais rien à faire : elles sont là, taraudantes, fouisseuses, inexorables.

Aucun des gestes, sexuels ou non, qu'on a pu avoir à mon endroit ne s'est effacé de ma mémoire. Qu'ils me soient venus d'une femme ou d'un homme.

Un jour, j'ai même eu une hallucination : je ressentais physiquement ma mère en train de me langer — l'a-t-elle jamais fait, à propos ? — et c'était une horrible sensation de dépendance, d'impudeur !

Toutes sortes d'actes commis par tant de gens différents ont eu lieu à mon corps défendant à l'encontre de ma chair, de chacune de mes cellules... Lesquelles ont disparu depuis longtemps, remplacées par d'autres. Alors, pourquoi est-ce que j'en souffre encore ? De plus en plus, même, au fur et à mesure que le temps passe ? Crispations, crampes, paralysies, tous maux qu'on dit être « imaginaires », les médecins, s'ils en cherchent la cause, ne scannérisent rien !

L'origine est dans ma mémoire, enkystée.

La mémoire, sac à vécu ?

Si je pouvais trouer le mien et le vider dans le tout-à-l'égout...

Pas de tout, bien sûr.

Dans ce fatras, il y a aussi du nécessaire !

La lecture du livre de Jean-Dominique Bauby — *Le Scaphandre et le Papillon* — m'horrifie. Je percevais déjà de plus en plus clairement que la mémoire peut vous supplicier, mais là, c'est clouant !

Un être qui n'est plus que mémoire, privé de la faculté que nous octroie le corps — chez lui paralysé — de changer de disque !

Nous le pressentons : d'où notre malaise face aux aphasiques, aux comateux. On leur parle, un peu ; on les berce, un peu ; on les fuit, beaucoup !

En souhaitant qu'ils n'aient pas trop conscience de ce qu'ils vivent : n'être plus qu'une mémoire, en quelque sorte dématérialisés...

Hors-vie.

Dans notre ignorance de leur vécu, nous tablons sur la mort véritable pour libérer ces « scaphandriers » de leur carapace de non-être, car nous voulons être certains que la mort abolit vraiment tout. La conscience, surtout la conscience.

Mais qu'est-ce que la conscience, sinon de la mémoire qui se palpe à tâtons ? Le philosophe — aujourd'hui oublié — de ma jeunesse, Henri Bergson, décrivait ce travail de la perception qui, sur tout fait nouveau, toute sensation inconnue, cherche à projeter du déjà-vu afin de pouvoir l'assimiler.

On ne reconnaît que le connu. Les doigts, les caresses de mon actuel amant ravivent en moi le souvenir de tous les autres. Je n'y peux rien, lui non plus. Ou plutôt, c'est parce que je puis appréhender son geste comme caresse, prémices à l'amour, que j'y prends plaisir. Sinon, je me dirais peut-être : « Mais qu'est-ce que c'est que ça ? Que me fait-il... Au secours ! »

Les grands médecins savent de quoi souffre un malade dès l'instant où il franchit la porte de leur cabinet. Du fait qu'ils en ont déjà vu des milliers avant lui, ils estiment d'emblée que cette raideur, ce visage crispé, ou, au contraire, cet alanguissement sont les symptômes d'une maladie répertoriée. Ensuite seulement, ils interrogent pour confirmer le diagnostic que leur a fourni leur mémoire.

Inutile de dire, tant on s'en doute, qu'un éditeur qui lit un manuscrit, un juré de prix littéraire qui parcourt un ouvrage en lice s'appuient entièrement sur leur mémoire pour en juger.

Quelquefois trop : n'y reconnaissant ni Proust, ni Balzac, ni Le Clézio, ni Beckett, ils rejettent l'œuvre comme dépourvue de sens... En fait, de précédent. De même, le plus grand compliment que croit devoir faire un critique à un auteur est de citer les écrivains qu'à tort ou à raison il lui évoque : Colette, Sagan, Nimier, Faulkner, Montherlant, etc. Le voici identifié par là comme « de la famille ». Mais laquelle ? Celle du passé. Il a des ancêtres, donc il a de la branche... Reçu !

Comment, dans ces conditions, espérer le fameux « frisson nouveau » dont parle Baudelaire (moi aussi, je peux m'appuyer sur ma mémoire littéraire !...) ? Comment le novateur pourrait-il se faufiler à travers ce filet de déjà-vu, déjà-entendu, déjà-connu ?

Il faut ici se référer à la mode, surtout vestimentaire. Toutes les saisons, à entendre les commentateurs, on retrouve quelque chose des modes passées : les années vingt, les années cinquante, le rétro, etc. À nouveau, clament-ils, les jupes raccourcissent, ou rallongent, on revient à la transparence, on retourne au noir, au rouge, au chapeau, aux semelles compensées, au maillot une-pièce, au bikini... À croire qu'un créateur ne fait que repêcher une mode ancienne pour la relancer sous sa griffe sur les podiums et dans la rue.

Avec un petit changement, quand

même ! C'est même cette infime déviation qui fait mode. Voire révolution.

Qui crée le « jamais-vu ».

Avant cette fin de siècle, on n'avait jamais vu des pantalons en jean, qu'ils soient portés sport ou avec des talons hauts. Des tuniques ne dénudant que les fesses par deux lucarnes. Des robes — même s'il y a eu les armures médiévales — entièrement en métal. Hors les bordels, on ne voyait pas non plus de femmes se promener dans la rue en dessous : combinaison, soutien-gorge, corset, porte-jarretelles, string ou culotte...

C'est du détourné d'autrefois, mais c'est quand même du neuf !

En fait, la création artistique procède à l'exemple de l'évolution biologique, laquelle s'appuie sur ce qui est — cet organisme est viable, puisqu'il persiste ! — pour y ajouter un petit *plus*, un léger *rien*, une promesse d'évolution...

On le constate nettement dans l'espèce humaine : les filles sont plus grandes, leurs hanches plus minces, leurs jambes plus longues. Ce sont toujours des filles et elles continuent pour la plupart à ressembler à leurs parents, mais il y a chez elles un petit quelque chose de différent. Qui fait « boom » !

Il en va de même pour l'art.

L'art le plus nouveau est fondamentalement mémoire, copie, plagiat — plus un chouia d'inédit, d'autre chose...
Qui fait joie.

L'un de mes fils « virtuels » m'appelle : « Quand je pense que je viens de passer ma première nuit avec *elle* dans l'appartement où tu as vécu avec Papa ! Tiens, on a même fait l'amour sur le divan où tu as dû le faire avec lui... »

Son père et moi sommes divorcés depuis plus de trente ans et si une très forte affection subsiste et s'est même renforcée entre nous, j'ai tendance à oublier que nous avons eu des rapports de corps. C'était dans un autre temps, une autre vie.

Or, pour son fils, c'est du présent !

Je lui ai prêté pendant quelques jours l'appartement où son père et moi avons autrefois vécu ensemble. Résidant habituellement à New York, il ne savait où amener sa nouvelle conquête. « Ce jeune couple, me disais-je, s'y retrouvera à l'abri, en ces jours de fêtes de fin d'année où Paris est froid et déserté, heureux d'être seuls au monde... »

À ce que je croyais !

En fait, ils habitaient « mon » passé. Lui s'efforçant d'évoquer et de ressusciter pour elle mon histoire d'amour avec son père. Désireux non de la répéter, mais de la prolonger.

Il m'appelle à l'île de Ré où, de mon côté, je passe des fêtes heureuses dans une maison sans passé. Son ton est perplexe, presque réprobateur :

« Il n'y a pas de photos de toi et Papa dans l'appart', j'ai cherché partout...

— Ne t'en fais pas, il y en a d'ordinaire. Je les ai juste prêtées à un journal pour illustrer un article...

— Ah bon ! »

Interdit d'oublier. Il a besoin que je sois mémoire pour pouvoir s'enraciner à son tour dans un amour tout neuf qui risque d'occuper sa vie d'homme.

Je ne suis pas sa mère, mais, du fait que j'ai connu son père encore adolescent, il me situe à l'origine : je détiens pour lui une part fondamentale de sa tradition familiale. Donc de lui.

Cela me fait drôle de penser que moi, vivante, je puis tenir lieu de mémoire à quelqu'un d'autre !

Sans doute en est-il ainsi pour tous les enfants : ils prennent comme starting-blocks des images qu'ils ont conservées de leurs parents et de certaines figures de leur enfance pour prendre leur élan et aller de l'avant.

Mais tous ne savent pas le formuler.

Est-ce pour ne pas oublier les bons moments — ou ceux qui furent abominables — qu'on prend de plus en plus de photos ?

Je crois que c'est d'abord pour partager.

La Charente, mon fleuve envahissant, a atteint aujourd'hui sa cote d'alerte. Tout est inondé, les lieux habituels, mais aussi les plus improbables, juchés sur les hauteurs, du fait des affluents qui ne trouvent plus à se déverser.

Quelle beauté !

Ces miroirs d'eau reflètent la luminosité d'un hiver exceptionnellement doux et mes chiens se baignent là où d'ordinaire on se promène. Comment ne pas déclencher mon appareil ?

Mais dans quel but tant de photos ? Pour les montrer, pardi ! À tous ceux qui n'ont pas vu pareil spectacle ou qui ne le verront jamais.

Avec la même alacrité partageuse, mes amis me poussent sous le nez les photos de leur voyage en Égypte, des enfants nouvellement nés dans la famille.

Pour moi, j'embête mes visiteurs avec les clichés de mes petits chiots, devenus depuis lors de grands chiens, de mes maisons encore en chantier, de quelques spécimens de mes défuntes amours. Ou des quatre garçons, mes fils virtuels, dont je suis si fière, m'encadrant comme une garde d'honneur !

Tous ces flashes de bonheur sont dans mon cœur, en couleur comme en noir et blanc, mais j'ai besoin que mes amis le constatent pour en jouir tout à fait.

Quand je tombe amoureuse, j'ouvre aussi mes albums. Pour tenter d'introduire l'étranger au cœur de ma vie présente et passée, dans l'espoir d'arriver à partager avec lui ce que j'ai vécu sans lui.

Mais parvient-on à greffer sa mémoire sur l'imagination d'un autre, fût-il amoureux et consentant, même si la photo est bonne ?

L'un de ces thérapeutes qui s'intéressent au tempérament de leurs patients me questionne : « Avez-vous tendance à regretter le passé ? »

L'évocation sur ordre de mes origines, je l'ai faite et refaite en analyse. Ce qui désormais me fait souffrir survient plutôt à l'improviste, comme un coup : tout et n'importe quoi me « rappelle »... Ce brusque retour de ce qui n'est plus est épuisant de nostalgie. Il survient à partir d'un objet sur lequel mes yeux se sont posés, qui a appartenu à l'un de mes proches ou a été donné par tel ami aujourd'hui disparu. La chose est là, en apparence anodine, en fait un monument du souvenir. Conservée, si elle est fragile, dans une vitrine, ou occupant le dessus d'un meuble, de la cheminée. Torturante... Je finis par comprendre ceux qui jettent tout !

Ce peut être aussi un vêtement porté par une personne aimée (les blousons de mon père, ses cannes, ses lunettes...) ou que j'ai moi-même arboré en telle ou telle occasion, à peine défraîchi, rangé dans l'armoire, attendant, semble-t-il, le « retour » à l'usage. En fait, au bonheur.

Le choc vient aussi lors d'un trajet par des lieux que j'ai fréquentés et qui, pour ce qui est de moi, se sont dépeuplés. Quand je parcours ma ville, Paris, ou mes provinces, que ce soit à pied ou en voiture, il m'arrive, les mauvais jours, de me croire dans un cimetière. Tant de rues, de maisons où j'ai rendu visite à des vivants qui ne sont plus ! Je ne peux longer les murs qui les ont abrités sans chaque fois leur consacrer une pensée. Mélancolique bouquet de fleurs fanées !

Mauvais pour le moral, ce perpétuel salut aux morts ! (Prudents, les anciens combattants ne s'y adonnent qu'une fois par an.)

Parfois, rien que le nom des lieux m'évoque le passé, des moments à jamais révolus. Il me suffit de les voir inscrits sur un poteau indicateur pour que le souvenir surgisse et me poigne : Rocamadour où Maman allait tous les ans en pèlerinage, Bandol où j'ai vécu à deux époques de ma vie des moments de bonheur ensoleillés, Veulettes, mes fiançailles, ma prime jeunesse, Neauphle-le-Château, autre haut lieu abandonné au passé... Ne parlons pas de la forêt de Rambouillet : la mémoire m'en est si douloureuse que je m'interdis de pénétrer dans le département des Yvelines.

Ce n'est pas en la fuyant, me dira-t-on, que la mémoire s'efface. Hélas, pour l'instant, rien d'elle chez moi ne s'estompe ni ne s'use, tout tend plutôt à s'accuser, se renforcer. Resurgissent jusqu'à des souvenirs dont je ne me préoccupais guère jusque-là. En fouillant dans une armoire, en ouvrant un carton, en contemplant de vieux clichés, voilà que je m'effondre en larmes...

Un bon conseil : jetez tout !

Reste qu'à moi, c'est impossible... Ce serait comme de brûler le saint suaire, avec, pour faire bon poids, les restes de la vraie Croix et les oliviers du Jardin !

Je suis de ma vie passée comme on est d'une patrie.

En exil.

Je veille pourtant à revenir le moins possible sur les lieux où règne désormais le vide — il n'y a pas que les Yvelines que j'évite ! Je me contrains à aller ailleurs, de l'avant : faire de nouvelles connaissances, bâtir et aménager des maisons, élever de nouveaux chiens, écrire d'autres livres sur un autre ton...

Rien à faire : les figures d'autrefois sont toujours là, obsédantes. Géantes. Surplombant le présent et lui faisant de l'ombre. Un *Tu quoque* perpétuel...

Tout deviendra poussière insaisissable,

le devient d'un jour sur l'autre... À quoi bon ce conservatisme?

Sur le phénomène d'imprescriptibilité de la mémoire, Borges a écrit une œuvre elle-même « inoubliable » : quelqu'un ne peut rien oublier, pas même une infime macule sur la page d'un livre qu'il a lu il y a des années.

Mais qui est cet homme? Vous?... Moi?... Un martyr, en tout cas. Un supplicié.

Coup de cœur. Coup de chaleur. Coup de feu. Coup de sang. Il y a aussi des « coups de mémoire »... Des retours du passé qui se font à votre insu, assaillent à l'improviste et meurtrissent.

Comme tout ce qui est « coup ».

L'un est récent, il concerne l'aménagement de mon espace. Pendant les trois quarts de ma vie, je n'ai pas eu à m'en préoccuper, d'autres l'ont fait pour moi. Ensuite, j'ai laissé courir, me contentant de ce qu'ils m'avaient préparé. C'est sur le tard que je me suis fabriqué moi-même un intérieur. « C'est bon signe, m'a-t-on dit, vous vous structurez ! »

Vers l'avant, ou depuis l'arrière ?

Dans une bâtisse que je fais construire, je commande à l'architecte des murs entièrement blancs. J'y mets du mobilier de jardin blanc ou en polystyrène transparent. Et moi qui prétends toujours avoir horreur de la page blanche — d'où mon ardeur à la remplir ! —, je n'accroche rien à ces murs, ils demeurent vierges.

Plus tard, je décide d'aménager le rez-de-chaussée de la vieille maison de famille qui m'est échue à la mort de mon père. Nul n'y a touché depuis deux générations. Je planifie, mets en route. Oblique en cours de travaux, exige autre chose des entrepreneurs, décroche, raccroche. Un jour, c'est fini : tout est devenu blanc avec quelques vieux meubles et presque rien aux murs.

Soudain, il me semble avoir déjà vu cette « maison » quelque part. Mais oui ! Elle est le clone de mon appartement de Paris, et aussi de la petite bâtisse que j'ai aménagée sur l'île pour les vacances. Autrement dit, mes « intérieurs », recomposés dans des lieux totalement différents, sont identiques.

D'où cela provient-il ?

Du fond de ma mémoire...

J'ai répété, avec des éléments divers, ma toute première « maison » : en fait, celle de ma mère. Le nid où j'ai éclos.

Telle une oiselle qui, de saison en saison, de brindille en brindille, avec des touffes de son duvet, réédifie le même abri pour ses œufs.

À la moindre occasion, je me recrée le même décor. C'est un coup de ma mémoire !

Voilà comment elle s'y prend pour me gouverner : en douce.

Quand mon père m'emmenait promener, à pied ou en voiture, il ne cessait d'égrener le nom des lieux que nous traversions : rues, villages, châteaux, monuments, et — plus accaparant encore — il me racontait une histoire. Quelque anecdote, légende, coutume, voire un fait à lui survenu à cet endroit-là, dont il se souvenait avec acuité.

Cette manie, dont ma mère n'était pas affectée, me dérangeait. J'aime arriver sans mémoire sur un site inconnu. Découvrir l'église après le clocher, le village par-delà la colline, la rivière au fond de sa gorge, sans qu'on m'ait avertie à l'avance : « Tu vas voir, il y a là des remparts dont il ne reste que quelques pierres. Construits sous Philippe Auguste, ils furent détruits au siège de... Quant aux pierres, on s'en est servi à la Révolution pour bâtir une prison que je vais te montrer... Une des statues qui ornaient la poterne se retrouve dans la salle des visites... »

Le charme de la découverte, qu'en faisait

43

mon père à m'accabler ainsi de précisions que je ne quémandais pas?

Comme lorsqu'un guide vous commente un tableau dans un musée, expliquant le sujet, pointant jusqu'aux ciselures du cadre et à l'écaillure de la peinture. L'attention ainsi dirigée, l'émotion n'a plus cours, tarie dans l'œuf.

J'en voulais de sa tyrannie à mon père lorsqu'il exigeait que je mette mes yeux dans ses yeux pour voir trait pour trait ce que lui-même avait vu autrefois. Contrainte d'absorber ce qu'il dispensait, que pouvais-je discerner d'autre?

Il arrivait quand même qu'un détail s'imposât à la périphérie de mon champ de vision. Une touffe de giroflées entre les moellons, une petite fille suivie par son gros chien, une ancienne Citroën rouillant sous un hangar. N'ayant pas existé du temps où mon père était passé par là, ces choses n'étaient qu'à moi!

Exprès, pour lui montrer que je conservais ma liberté d'aventure, je lui signalais cet aperçu ou un autre. C'était lui gâcher son plaisir, qu'il préférait de mémoire.

Mais voici qu'à mon tour, j'en fais autant! Quand j'emmène quelqu'un, généralement plus jeune, sur l'un de mes lieux d'hier ou d'aujourd'hui — l'île de Ré, Pontaillac, la Saintonge, Bandol, Megève, le Limousin... —, je me surprends à raconter ce qui m'y est arrivé ou ce qui s'est produit ici ou là. Ces marais qu'on assèche pour y installer des golfs, ces nouvelles maisons d'été mortes en hiver, ces forêts de résineux autrefois bruyères, ces pentes striées de téléphériques que j'ai connues vierges, ces plages que j'ai foulées sauvages, ces modestes magasins, merceries, modistes, boulangeries-confiseries où je me suis fournie et qui ont laissé place à des banques, des briocheries, des boutiques d'assurance ou de télécoms... Toutes les demeures disparues où j'ai vécu, aimé quelqu'un... Je double sans relâche ce qu'on a sous les yeux par les images de ce qui fut pour moi et qui n'est plus.

Eh bien, va-t-on me dire, quel mal y a-t-il à cela ? Vous enrichissez le présent avec le passé ? Vous instruisez, vous transmettez... Les gens aiment savoir ce qui a existé.

Je n'en suis pas si sûre.

Ou plutôt mon sentiment là-dessus est ambigu : sur-le-champ, j'en voulais à mon père de brouiller mes impressions en interposant les siennes. J'aurais voulu être vierge à tout. De même une jeune fille qui rencontre un jeune homme déteste être d'avance renseignée sur lui, prévenue de ce qui l'attend ; elle préfère le découvrir seule après s'être livrée à la passion, fût-ce au prix de l'illusion perdue.

En même temps, l'amour que mettait mon père à partager avec moi son adolescence, sa jeunesse, me demeure comme un trésor. C'est à ceux que l'on aime et parce qu'on les aime qu'on raconte ce qu'on croit savoir du monde, ce qu'on en a éprouvé.

Je n'ai rien oublié de ce que m'a dit et redit mon guide, de la place de la Concorde, où il a vu, en 1900, l'arc dédié à la fée Électricité, au petit mur près de Chermignac sur lequel subsistent d'étranges hiéroglyphes encore non déchiffrés.

Là où le mystère, l'énigme, la beauté du monde l'avaient frappé, mon père désirait me communiquer son sentiment. Non qu'il songeât à mourir, mais parce qu'il était de ces êtres qui savent que l'humanité est une chaîne où la place et le rôle de chaque maillon lui sont assignés de toute éternité.

Il eût préféré un fils, il se serait senti plus sûr de la continuité, mais, après tout, les filles aussi ont des oreilles !

La preuve, j'ai tout retenu et je retranscris.

Toutefois, quand je me surprends à mon tour à effeuiller ma mémoire, j'ai peur d'ennuyer.

D'agacer, comme un grand-père expliquant la vie des canards à son petit-fils, lequel se contenterait de leur jeter le pain rassis qu'ils vont se disputer.

En même temps, je devine qu'on se souviendra de mon effort pour passer le flambeau.

Car c'est un effort d'évoquer ce qui a disparu — une douleur aussi, puisque nous-mêmes ne sommes plus ce que nous avons été.

> *Il allumait les réverbères,*
> *dans les rues du passé,*
> *le vieux grand-père*
> *tout effacé...*

C'est dans le *sertão* du Brésil, au début des années cinquante, que la très jeune femme que j'étais mettait et remettait ce disque usé sur un vieux gramophone à bras — sans comprendre en quoi la chanson pouvait la concerner. Plus tard, mon père, à cette époque trop occupé à vivre pour songer à moi, jouerait le vieux grand-père. Avant que je ne reprenne le rôle.

Je n'aimais cet air, croyais-je, qu'à cause de ma folle envie de revenir en France et pour toujours.

Ce que j'ai fait.

Pour autant, je n'ai pas oublié *Campos do Jordão,* ni l'allumeur de réverbères. Aurais-je dû ?

À trop brandir la torche de la mémoire sur les chemins du passé, on risque de se brûler le cœur.

Et si nous nous contentions de « répéter » ? Ce qui a eu lieu depuis notre naissance et même avant ? Comme les oiseaux, les insectes, les mammifères, lesquels, de génération en génération, revivent la même aventure ? Programmés par ce qu'on nomme l'instinct ?

Nous ne sommes pas des animaux, mais des humains, des être doués de langage, des « parlêtres » ?

N'empêche.

L'été dernier, une charmante personne a pendant deux mois partagé ma vie de vacances. Bien que n'ayant pas le même âge, nous nous sommes liées : Émilie me racontait son enfance, sa parentèle, et c'était si étonnant que je l'ai poussée à coucher son récit par écrit. Ce qu'elle a commencé de faire.

J'omets de dire qu'Émilie, née à Nouméa, est canaque.

À la rentrée, ce fut fini. Je ne l'ai plus revue : elle était passée à autre chose, à d'autres gens, tout projet d'écriture abandonné. (Je croyais si fort à son récit que j'en avais parlé à mon éditeur, plus réticent que moi — il avait raison —, mais qui ne me découragea pas pour autant : les faits s'en sont chargés.)

Que devient Émilie, l'oublieuse ? Je m'en ouvre à un ami commun : « Ne t'en fais pas, me dit-il, ces gens-là n'ont pas d'états d'âme. Elle est avec d'autres, elle reviendra peut-être vers toi, et ce sera exactement comme avant ! »

De fait, je rencontre Émilie par hasard ; elle me sourit, m'embrasse, et c'est comme s'il n'y avait pas eu rupture entre nous, ni passage du temps !

L'expression « pas d'états d'âme » m'avait choquée par son parfum raciste. J'y réfléchis et finis par lui trouver quelque fondement. Il n'y a pas d'écriture, dans les tribus qu'Émilie m'a si bien décrites ; en somme, pas d'histoire. Tout ce qui se fait se transmet oralement, sans changement ou presque, de génération en génération...

L'Histoire et son évolution sont une création de la mémoire. Une conservation de l'acquis, des informations les plus récentes. Ce qui fait que nos enfants nous dépassent dès l'instant de leur naissance. Et cela se vérifie très tôt : ils tripotent mieux que nous les derniers-nés — comme eux — de la technologie.

Dans nos sociétés, rien de ce qui est inventé, expérimenté n'est perdu ! Tout est amassé, recensé, inventorié, enregistré, décrit, transmis.

Les recherches archéologiques sont de plus en plus poussées : chaque brin de mémoire — monument, objet, outil, graffiti — doit être récupéré, sauvé, déchiffré, classé, emmagasiné. Rendu productif ou engrangé pour plus tard.

Au plan collectif comme chez les individus, la mémoire est le levier de l'évolution. Il s'agit de s'appuyer sur le passé pour inventer l'avenir — le présent n'étant qu'un simple trait d'union entre les deux. Un corridor, un passage...

Mais l'entièreté des humains ne travaille pas sur leur mémoire ni avec elle. Certains n'ont pas d'états de mémoire. Ne veulent pas en avoir.

On les dit fous, on les dit sages.

Ils sont amnésiques comme on est acéphale.

Ou plutôt, ils comptent pour survivre sur la mémoire de l'espèce.

Moi, j'aime avoir ma mémoire rien qu'à moi.

Les plantes, les animaux sont comme nous, ils n'accèdent à rien sans douleur. Ni sans joie. Les deux ressentis se succèdent ou coexistent dans la même journée, le même acte, la même heure. Ne dit-on pas un « douloureux sourire » ?

La passion du Christ est extase. La *Mater dolorosa* sanglote et exulte à la fois.

M'étonner de ce que ma mémoire me fasse souffrir est naïf. La mémoire *ne peut que* faire souffrir dès le premier âge, le premier sevrage, la première absence de Maman... Puis, au retour de notre déesse-mère, quel bonheur ! Il n'y en aurait pas tant si l'on ne se souvenait pas si fort d'elle, la reine de notre cœur et de nos sens de nourrisson.

Les amnésiques n'ont pas de ces joies qui irriguent la moindre de nos cellules, rameutent la vie, éloignent la mort.

Ah, celle-là !

Depuis que je suis toute petite, je me demande comment on peut survivre à ceux qu'on aime. L'observation m'a prouvé que si l'on continue à vivre, c'est mutilé.

Des parents qui ont perdu leur enfant ne cessent d'en témoigner. Geneviève Jurgensen, dont les deux filles furent tuées dans un accident de voiture. Bernard Chambaze, dans son beau livre *Martin, cet été*, raconte sa douleur de père après la mort de son fils. Récemment, c'est *L'Enfant éternel* où Philippe Forest décrit par le menu la disparition de sa toute petite fille, atteinte d'un cancer ; pour pouvoir continuer, il a « embaumé » sa fille dans un tombeau de mots, d'images, de souvenirs... Ainsi poursuit-il son chemin, accompagné par la mémoire vivante de son enfant.

C'est un effort et il fatigue.

« Encore un invisible pour te soutenir ! » me disait une amie à propos d'un deuil.

Tous ceux que j'ai perdus me font plutôt l'effet de succubes. Ils « sucent » mon énergie, mon élan vers l'avant. Ne pas pouvoir leur raconter, ne pas pouvoir partager avec eux me décourage de n'importe quel plaisir ou aventure. Ôte son impact heureux à une réussite : un livre qui marche, une maison que j'aménage... Puisque mes aimés ne le voient pas, à quoi bon ?

« *Pour moi toute seule, la nuit vient de tomber* », chantait Piaf.

Pour moi seule, si ce n'est pas encore la nuit, c'est sans cesse le crépuscule.

Il y a ceux qui oublient pour de bon et ceux qui oublient pour de faux!

« J'ai dit ça, moi? Non, non, ça n'est pas possible! Cela me serait resté... »

Une promesse, un engagement, une parole plus ou moins reçue... On nie et on ajoute : « En tout cas, je ne m'en souviens plus! »

En toute circonstance, il est reconnu et admis qu'on peut ne plus se rappeler quelque chose.

Même — surtout — devant un tribunal :
« De quelle couleur était la voiture?

— Je ne me rappelle plus, monsieur le président...

— Vous êtes bien sûr qu'elle était garée devant la maison de la victime?

— À vrai dire, cela remonte à... Je ne sais plus bien... »

Et le greffier d'enregistrer les repentirs, les contradictions, les flottements du témoin par carence de sa mémoire.

Défaut pour lequel il ne sera pas sanctionné.

L'accusé non plus. Coupable ou non, il bénéficiera du doute s'il obéit aveuglément aux conseils de son avocat : « Surtout, dites bien que vous ne vous rappelez pas... Ou commencez vos phrases par : "Si ma mémoire ne me trompe pas..." »

Un procès est le condensé de ce qui advient tous les jours à chacun. Depuis la nuit des temps et la comparution du Christ devant Ponce Pilate, le procès est l'exemple type de la confrontation de l'individu au groupe, à la société. Nous sommes toujours peu ou prou en procès avec les autres... Officiel ou non, judiciaire ou pas encore.

Les procéduriers en sont si avides qu'ils attaquent en justice et déclenchent des actions pour un oui, pour un non. Afin de tester la loi, de prendre en défaut la bonne foi de l'autre, de sonder les lacunes de sa mémoire ? D'en jouer, aussi.

Entraînée malgré moi dans un procès familial, j'ai entendu mentir... de bonne foi, si je puis dire ! À force de se répéter que les choses ne se sont pas passées ainsi, mais autrement, la plupart des gens finissent par le croire. Par se croire. J'ai vu nier l'évidence par-devant huissier...

La première fois — c'était dans un cabinet d'avocat — je me suis tapée la tête contre le mur — comment pouvait-il ? comment pouvait-on ?

Mais non, continuait calmement mon débiteur, il n'avait jamais promis. Qu'est-ce que j'allais chercher là ?

Maintenant, je me suis habituée aux défaillances — bien commodes — de la mémoire d'autrui, et elles me font plutôt rire du fait que je m'y attends.

Pour contrecarrer l'oubli, l'éradiquer, comme on dit d'un virus, il n'y a que les preuves écrites. Ce qui fait que, désormais, je garde tout pour le cas où... Le cas de quoi ? Mais de procès... Avec l'administration, un entrepreneur, un commerçant, des proches qui réclament ce qu'ils déclarent être leur dû alors qu'on l'a déjà acquitté ! Mais votre parole ne suffit pas. À juste titre, d'ailleurs...

L'autre jour, en cherchant autre chose, j'ai mis la main sur un dossier de lettres, de papiers manuscrits, de vieilles photos que m'avait prêté une vieille dame et qu'elle me réclamait. « Vous ne me l'avez pas rendu ! — Enfin, Jeanne, vous plaisantez ! Je ne garde *jamais* les papiers qu'on m'a confiés aux fins de publication... Mon vieux réflexe de journaliste ! »

Eh bien si, ma vieille, tu l'as fait, et tu as oublié ! Et tu accusais déjà la mémoire, sûrement défaillante, de la dame : pensez, à son âge !

Et si c'était toi, en l'occurrence, la « dame âgée » ?

J'ai détesté cet incident qui m'a mise,

sans échappatoire, devant mes propres fai-
blesses, actuelles et à venir.

D'une façon générale, qu'il s'agisse du
mien ou de celui des autres, je déteste
l'oubli.

Or, comment vivre sans l'oubli? Il res-
semble au pardon!

Et si les morts n'étaient plus que mémoire ? Entièrement mémoire ?

C'est le sentiment qu'ils nous donnent du fait que leur vie est arrêtée, figée, leur corps perdu : une ardoise sur laquelle plus rien de vivant ne peut s'inscrire.

Du coup, on en appelle à eux, à leur mémoire, pour pallier un oubli. « Ton père disait... » « C'est avec ce pauvre Alfred que je suis allée à Dinard manger de l'araignée de mer... » « Au nom de la mémoire de ta chère mère, tu devrais... »

Les morts ne sont plus là pour contredire, intervenir, nier ; devenus immobiles, ce sont des blocs de mémoire.

Les historiens le savent, qui s'appuient sur eux pour construire leur œuvre, parfois de pure fiction !

Curieux travail que celui-là : on part du connu, de ce que tout le monde sait ou croit savoir, d'une mémoire collective admise, répertoriée, pour s'aventurer vers des mises en forme inédites. À l'aide de nouveaux documents, papiers, lettres, témoignages, qui sont de la mémoire dûment authentifiée, matérialisée. Quelqu'un qui se mêle d'Histoire est censé ne rien inventer, mais ne pas nier non plus ce qui a été.

Ou alors c'est le scandale, comme celui des révisionnistes qui refusent toute existence aux camps de concentration nazis. Mais, pour se permettre, ne fût-ce qu'une seconde, de soutenir une aussi monstrueuse contrevérité, c'est qu'à côté de la mémoire vraie, il existe une mémoire fausse (l'un d'eux ne s'appelle-t-il pas Faurisson?). Une mémoire forgée pour les besoins d'une cause, qui défie les faits les plus avérés, défigure la vérité, manipule documents et témoignages...

J'en ai rencontré maints exemples dans mon entourage et, chaque fois, je me suis sentie blessée, scandalisée mais également démontée. « Après tout, me disait une voix intérieure, es-tu sûre de toi? Tu as le souvenir d'avoir été là, d'avoir vu, constaté, bien sûr, mais tu as pu halluciner. Déformer. N'écouter que ton désir... »

Un petit fait, dérisoire pour ne pas dire ridicule, me trouble encore. Je me trouve en Normandie avec l'homme qui, à l'époque, occupait ma vie, lorsque, sur le chemin du retour vers Paris, il me propose de visiter la maison d'une sienne cousine, en travaux, à ce qu'il en sait. Après quelques recherches, nous nous trouvons sur un chantier où il est aisé de pénétrer pour accéder au premier étage. Là, à notre surprise, nous découvrons que le plancher du couloir n'est pas droit, mais penché! Anomalie amusante : j'ai en tête l'image de cet homme face à moi, se tenant des deux mains aux murs pour tenter, comme à bord d'un navire en plein tangage, d'assurer sa position.

Eh bien, à l'en croire, cette scène n'aurait jamais eu lieu!

Quand j'ai voulu lui en reparler comme d'un souvenir un peu cocasse, tendre également, puisque nous achevions un voyage d'amoureux, il l'a niée!

Avec une assurance confondante : pas de cousine, pas de maison, pas de couloir de guingois!

Pourtant, je revois nettement ces murs et ce plancher de bois clair, avec lui qui fait mine de se soutenir aux murs, le sourire aux lèvres. Ai-je tout inventé? L'ai-je rêvé? Je ne me crois pas sujette aux hallucinations. Mais va savoir!

Avec ma sœur, j'éprouve souvent le même tournis. Elle m'affirme ce que je récuse, elle nie ce dont je suis convaincue! Jusqu'à ce qu'un tremblé s'installe... Ce n'est pas que je ne me croie plus, je reste sûre de ce que j'avance, mais quelque chose en moi se fatigue d'affirmer sans être soutenue, ma conviction se délite, n'a plus envie de s'obstiner...

La mémoire — c'est cela le terrible! —

dépend des autres. Et si les autres, par malice, oubli, nécessité, calcul, se refusent à l'étayer, on en arrive, à moins de faire partie des entêtés chroniques, à douter de soi.

Comment rendre l'autre fou, a écrit un psychiatre. C'est simple : en refusant de le conforter dans sa conviction que ce qu'il a vécu, perçu, et dont il se souvient, est exact.

Aux procès de Moscou, on n'a rien fait d'autre.

C'est pour cela que nous devons une profonde gratitude à celles ou ceux qui acceptent de confirmer notre mémoire, c'est-à-dire de nous assurer dans notre être, notre vérité, notre raison, qui se justifient alors de leur appui.

Pour ce qui est de la réalité, ce qu'on appelle la « vérité vraie » — y en aurait-il une fausse ? —, c'est une autre histoire.

Le désir de se souvenir augmente-t-il avec l'âge et le temps ? Il m'arrive de râcler des souvenirs jusqu'à presque les inventer, là où je n'en ai plus — ou pas !

On dirait que le fait de m'être déjà trouvée sur les mêmes lieux, dans des circonstances quasi identiques, me rassure. Par rapport à quoi ? Mais à la mort, bien sûr ! La seule véritable ennemie...

Un exemple : Saint-Malo.

Je n'y avais été qu'une fois, brièvement, un jour de forte marée et sans y coucher, juste pour « voir ».

Cette fois, j'y ai passé deux jours.

Partout où j'allais, sur la digue — le sillon —, les remparts, je me remémorais mon premier passage.

C'était plus fort que moi : il fallait que je retrouve en moi l'image précédente de cette vue que je contemplais, il fallait que je compare la force de la mer et des vagues à ce qu'elle était lors de mon premier passage. Que j'estime le plaisir que je prenais à celui d'il y a quelques années.

À bien y réfléchir, c'est comme si — le « comme si » cher à Proust, l'écrivain de la mémoire — le fait de revenir me donnait l'assurance que je reviendrais encore et encore. En somme, toujours !

Une promesse de renouveau perpétuel ! D'assurance contre la mort : « J'ai déjà vécu cela, donc je le revivrai encore ! »

Les personnes très âgées ne cultivent-elles pas ainsi perpétuellement le souvenir, au moindre de leurs gestes ou déplacements ? Ce qui les rend si agaçantes pour l'entourage. Elles ne peuvent rencontrer quelqu'un sans évoquer le souvenir qu'elles en ont gardé, remontât-il à la nuit des temps. « Quand tu étais enfant... », « Je te revois dans ton berceau... », « Le jour où tu as eu ton bac... », etc. Ce rappel de vos premiers pas, de vos premiers émois vous est renvoyé jusqu'à ce que vous cessiez d'avoir envie de rendre visite à ces vieux-là !

C'est aussi la raison, me semble-t-il, pour laquelle mes amis et parents âgés apprécient plus un restaurant où ils ont déjà mis les pieds que celui qu'on leur fait découvrir. Dès la seconde fois, ils se sentent plus à l'aise, et, pour renforcer cette impression de sécurité, réclament la même table. Je le sais et je la retiens. De même pour le menu : « La dernière fois, les huîtres étaient délicieuses ! » Alors on en reprend, comme s'il était plus savoureux de revivre un plaisir — à la recherche du temps perdu — que de s'en procurer un nouveau.

Mon père adorait se lécher d'avance les babines avant d'être servi : « La sole aux morilles, c'est ça qui est bon... » Plaisir connu, plaisir assuré.

Si je reviens à mon père, c'est que, dans les dix dernières années de sa vie, il m'a fait vivre — d'avance ? — l'entrée dans le grand âge.

Grand âge, nous voici, écrit Saint-John Perse. Le « grand âge » est une contrée particulière faite de rites, de choix, de façons spécifiques. Grâce à mon père, je peux dès à présent en décrire les us et coutumes avant d'y aborder à mon tour. Ainsi ne supportait-il pas qu'on lui changeât de place ses « petites affaires » — ni les meubles. Les mouvements finissent par se ralentir avec l'âge, du fait que l'influx nerveux va moins vite du cerveau à l'extrémité des membres. Or, savoir exactement où sont les choses permet de prévoir ses gestes, de mieux les ajuster.

Papa voulait perdre le moins de temps possible à la recherche de son rasoir, de son peigne, de ses chaussures. Sur le chemin qui le menait à son bureau, à la salle à manger, au téléphone, il n'acceptait ni obstacle, ni dérivation.

Il préférait aussi les gens connus du fait qu'il n'y avait rien à apprendre d'eux que la dernière actualité. Se mettre en tête une nouvelle figure, une nouvelle histoire, se donner de nouvelles habitudes mentales le fatiguaient... Il en avait déjà tant emmagasiné !

De quoi satisfaire ses journées rien qu'en puisant dans ses réserves !

Mon père vivait sur sa mémoire comme on fait du par cœur.

Comment s'en débarrasser?

De quoi?

Mais de cette mémoire qui nous présente chaque nouveauté — ne serait-ce que la prochaine aube — dans un emballage de déjà-vu, de déjà-éprouvé, déjà-connu!

La mémoire, splendide machine à fabriquer sur-le-champ du vieux avec du neuf.

Le pire, c'est en amour. Le rappel d'épisodes anciens ôte toute fraîcheur à une nouvelle rencontre. Suscite la comparaison.

Rassurez-vous : je ne vais pas vous introduire dans mon lit, mais vous prier de retourner vers le vôtre. Au moment de l'acte — souvenez-vous... — est-ce la surprise absolue qui prévaut : « Qu'est-ce qui m'arrive? Que se passe-t-il? Qu'est-ce que c'est que cette sensation, cette jouissance? » N'est-ce pas plutôt l'entrée en scène de la comparaison? « À tout prendre, Julie (ou Fabrice, ou Étienne...) était plus comme ci, moins comme ça... »

Regrets alors — ou satisfaction d'être mieux servi cette fois-ci? Quoi qu'il en soit, ce qu'on consomme présentement a comme un goût de réchauffé.

Ou de performance. Après chaque étreinte, un amant d'un certain âge me disait : « Bravo, le petit matériel marche encore! »

« Encore », pour Jacques Lacan qui en fit le titre de l'un de ses séminaires, c'était le mot même de l'amour!

Mais l'« encore » de mon vieil amoureux avait comme un goût de cendres. Dont j'ai préféré me passer.

Peut-être le plaisir des sens augmente-t-il du fait de la comparaison, rendue elle-même possible par la répétition? Par évaluation de la différence — en raison de la diasynchronie, puisque c'est ainsi, prétendent les phénoménologues, que fonctionne la perception?

Ma première surprise de vierge! Mon premier plaisir de vierge! Et mon premier orgasme. Je n'en ai rien oublié. (Et vous?)

Mais je recense plus de flou sur les épisodes suivants, les périodes intermédiaires, jusqu'à aujourd'hui.

Le signe que je confonds? Non. En amour, pas d'entre-deux : ou j'oublie tout, ou je me souviens terriblement...

Qui suis-je? Qui est là?

La question se présente, implicite, dès qu'on sort de l'inconscience du sommeil pour se surprendre à vivre.

Qui y répond alors, sinon la mémoire?

On s'empresse de se rappeler, yeux clos, le lieu où l'on vient de dormir, la chambre, la ville, le pays. Il faut se concentrer parfois pour que revienne le souvenir de qui somnole à nos côtés. On ne le dira pas, à notre compagnon de nuit, qu'on ne s'est pas rappelé de lui sur-le-champ, mais il en est ainsi. (De même pour lui!)

Puis il s'agit de se « rembobiner », comme le formule génialement un jeune homme — cinq ans — que je connais. On ne se dit pas : « Tu es Untel, né tel jour de telle année, en tel lieu », mais les données réapparaissent comme un mot de passe permettant que la machine — nous — puisse entrer en fonction! À l'instar de ces cartes d'identification qu'il s'agit d'introduire dans un appareil pour le faire marcher, ou pour qu'une porte s'ouvre.

Ça y est, on s'est « chaussé » de soi-même, on peut se lever sans plus hésiter, se rappelant la disposition des meubles, des pièces, des commutateurs, de ses pantoufles, pour aller s'occuper du petit déjeuner.

Parfois donner un coup de fil dont on sait par cœur le numéro, dont on reconnaît à la voix le destinataire.

Ensuite, on se remémore les tâches qu'il convient d'accomplir ce jour-là en vue d'objectifs antérieurement fixés.

Pour moi, c'est écrire.

Je m'approche de ma table, sachant de mémoire quels boutons presser pour que la lumière se fasse dans le bureau, quelle touche va mettre en marche l'ordinateur, quelle autre l'imprimante.

Une fois devant l'écran, là aussi tout est mémoire : comment faire apparaître une page blanche, lui imposer les caractères choisis, programmer les interlignes, le corps voulu : du 12...

La frappe peut commencer et je me mets à taper les premiers mots — mes doigts connaissant par cœur la place de chaque lettre. Est-ce qu'enfin je suis dans du nouveau, vais-je aborder l'invention ?

Eh bien non !

Ce que j'écris s'est déjà préparé en moi, la veille ou le matin même : lambeaux de phrases, associations de mots... La preuve en est que le texte me vient « tout seul », avec une rapidité qui signe la redite — sinon, cela n'irait pas vite, je procéderais par tâtonnements, essais, erreurs.

Ce que l'on nomme « inspiration » n'est probablement, à notre insu, que du souvenir. Celui de mots, de schémas syntaxiques, d'associations d'idées, ou, plus subtil encore, de musiques.

Ce qu'on nomme le « style » provenant d'une harmonie sous-jacente. Chaque écrivain a la sienne, préétablie. Nous l'avons composé très tôt dans notre vie, ce petit air familier, bien avant le passage à l'écriture, sans doute là encore à partir de souvenirs.

Déjà les textes que nous avons lus dans notre petite enfance — les écrivains sont tous, par essence, des plagiaires involontaires —, mais aussi à partir de souvenirs encore plus anciens, évanescents, oubliés : les chansons fredonnées par Maman avec le mouvement rythmé qu'elle imprimait à ses bras quand elle nous y berçait...

Écrire, ne serait-ce pas uniquement se rappeler ses toutes premières émotions ? Chercher sans cesse à les ranimer ?

Écrirais-je si je n'étais pas soulevée par le flot d'amour qui m'a accueillie, entourée, protégée, conduite jusqu'à ma page blanche ?

Sur cette blancheur immaculée, vais-je enfin arriver à formuler du neuf, du jamais-vu, jamais-entendu ? Ou ce que je rédige là préexistait-il ? Au vrai, plus ça va, plus j'ai le sentiment que mon texte se trouvait quelque part en moi et que je me contente d'épousseter la mince couche de temps qui le dissimulait au regard. Comme un archéologue balaie du bras la stèle sur laquelle il va déchiffrer le message des siècles. En écrivant, même si je suis convaincue d'inventer, je ne fais sans doute que me souvenir.

La preuve : celui qui perd la mémoire n'écrit plus.

Rien ne nous démonte plus que de ne plus nous souvenir, au moment même où nous en avons besoin, d'un nom, d'une citation, d'un chiffre. Le numéro de notre compte en banque, celui du code de notre immeuble, le prénom de la femme du patron...

Le sourcil froncé, le regard absent, on cherche !

Où ?

Dans notre « tête » !

Comment s'y prend-on ?

À chacun ses méthodes. Pour moi, je fais surgir un mot voisin. Je laisse venir des sonorités approchantes... Mettons que je cherche « Désormeau ». Je tenterai d'évoquer tout ce qui me vient avec la consonance « O » : Moreau, Étourneau, Dufaux... À chaque vocable apparu, dont je sais immédiatement qu'il n'est pas le bon, se trouve associée une image... S'il me revient soudain — Roseau, Bouleau — une image végétale, je sens que je me rapproche... Que je « brûle » comme lorsque, enfant, nous cherchions un objet caché par nos camarades de jeu.

Mais rien à faire, le mot se dérobe... Connaissant la musique, si je puis dire, je feins alors de passer à autre chose. Une activité, une méditation, une conversation. Le souvenir oublié s'irrite-t-il de se croire dédaigné ? Tout à coup, le mot apparaît, fût-ce au milieu de la phrase que je prononce ou que j'entends ! Cri de surprise, je ne peux m'empêcher d'en informer mon vis-à-vis : « Ça y est, j'ai retrouvé le nom que je cherchais : c'est Désormeau... »

Voici mon interlocuteur qui me considère avec incompréhension, parfois mécontentement. Nous parlons de bien plus intéressant, lui semble-t-il — de lui, peut-être. Que vient faire ici cette exclamation de quasi « gâteuse » ?

Mais de quoi vient ma satisfaction : d'un plaisir associé à la conviction que je ne perds pas la mémoire, en tout cas pas « pour de bon », ou du soulagement de ne pas avoir définitivement égaré ce qui fait partie de mes « petites affaires » mentales ? Comme lorsqu'on remet la main sur une chose matérielle, parfois quelque chose de dérisoire — la boîte de pop-corn — dont la disparition nous turlupinait...

Maintenant, je ne suis plus turlupinée, je peux me détendre et passer à autre chose.

Mais avant, puisque je le tiens mon « mot perdu », je me le répète ; parfois, je l'inscris. Petit coquin, je t'ai à l'œil, en laisse, tu ne vas pas me refaire le coup de la disparition subite...

Parfois, rappelez-vous, il a tôt fait de récidiver quand même!

Ce processus de recherche inconsciente me fait penser au travail d'un ordinateur à qui l'on a demandé la même chose : de retrouver un fichier qui n'est plus en place, ou alors mal intitulé. Le petit bruitage de l'appareil, semblable au grésillement d'un insecte, vous avertit que l'appareil est au travail et qu'il « cherche ».

À votre place.

Pendant ce temps, libéré de ce soin, vous pouvez vaquer à d'autres affaires. Tout en attendant le résultat.

En moi aussi, quelque chose « cherche » : toujours, tout le temps. Quoi? Un mot qui serait perdu depuis l'origine?... Mais lequel? Mon « moi » ne sait pas, il ne l'a pas encore trouvé. (D'où le recours à l'écriture, cette baguette de sourcier?)

Au moment de leur mort, certaines personnes énoncent une phrase, une formule avec un air de satisfaction si intense qu'on peut se demander s'il ne s'agit pas, juste avant de rendre leur dernier soupir, du mot perdu par elles depuis le début. Du mot qu'elles ont cherché leur vie durant.

Elles le prononcent. Mettons que ce soit *Rosebud*. Vous l'entendez. Vous n'y comprenez rien. Une de mes amies a murmuré : *Graffeuil*... Un nom propre, probablement, mais elle ne connaissait personne portant ce nom-là, à en croire sa famille.

Cela a paru la combler de retrouver la parole — qu'elle avait perdue — pour nous le dire, comme Goethe lançant son *mehr licht* sur son lit d'agonie.

Ensuite, on dirait qu'en eux tout repose en paix.

« Je songe aux guerres étrangères », a murmuré mon père en agonie, alors qu'il ne voulait pourtant plus, depuis des décennies, entendre parler de conflits.

En ces moments-là, c'est à croire que le mauvais génie — celui qui maintient notre mémoire en lisière — daigne enfin nous servir sur un plateau le verbe après quoi l'on courait depuis si longtemps.

Comme si la mort, à l'instant précis où elle va l'abolir, libérait totalement la mémoire.

C'est le sac qui crève.

Tout en nous s'empanique-t-il avant de basculer dans le néant ?

Un souvenir peut-il en supplanter un autre au point de le déformer, l'anéantir?

Je me souviens de ma nièce telle qu'elle était enfant, adolescente. Puis devenue ce qu'elle promettait : une belle jeune femme brune, souriante, un bébé nouveau-né entre les bras. C'est une image clé, l'image archétypique que je me fais de ma nièce, laquelle a eu cinq petites filles, toutes belles et fortes à leur naissance.

Et puis, après un moment de rupture dans nos relations, je me retrouve face à une femme de quarante ans presque maigre, des fils blancs dans son épaisse chevelure foncée, privée de son sourire.

Laquelle est la « bonne » ? Laquelle, pour moi, fait véritablement mémoire?

L'ancienne ou la nouvelle? Soudain, je ne sais plus...

Il en est de même pour les aimés que j'ai perdus. Quelle image est véritablement « eux » ? La dernière enregistrée? Celle, si douloureuse, sur leur lit de mort? Du fait de la chronologie, celle-ci serait-elle la *vraie* ?

Cela dépend de moi.

De mon envie, à l'instant de l'évocation, d'être heureuse, ou mélancolique, ou désespérée.

Quand c'est le bonheur qui l'emporte, je ne me remémore que les images de rires, de réceptions, d'apogées. Mon père m'ouvrant les bras du fond de son fauteuil : « Ma fille chérie ! » Maman sur le perron de notre maison limousine, sa canne à la main, ses chaussures de marche aux pieds, partant pour l'une de ses longues randonnées en solitaire dans les châtaigneraies qu'elle aimait tant — à quoi rêvait-elle au milieu des arbres ? Mon petit chien galopant comme un fou dans la luzerne plus haute que lui en sautant en l'air à temps réguliers pour m'apercevoir et retrouver sa direction. La brume d'horizon, du côté du phare des Baleines, quand je nage l'été dans l'Atlantique. L'arrivée sur Bandol, à un certain tournant de la nationale, d'où l'on aperçoit soudain la Méditerranée ; on arrête la voiture : ça y est, elle est là, le berceau de notre civilisation, la première eau, celle où je me suis appris à nager...

Images puissantes qui me relient au plus fort de la vie et suffisent à enchanter la suite de mes jours.

En revanche, si le temps est au noir — *Quand le ciel bas et lourd pèse comme un couvercle...* —, je peux tirer de mon lot une série d'images désespérantes. D'agonies, de morts, d'abattages d'arbres — récemment, un magnifique rideau de platanes pour quelque profit stupide... —, d'envies de meurtre après une rupture amoureuse, de soins hospitaliers désinvoltes, d'accidents sanglants... Toutes puisées dans ce que j'ai vécu ou que j'ai vu vivre aux miens, ou alors dans la mémoire collective — films, photos, livres, histoires parvenus juqu'à moi par personnes interposées, arrestations, tortures, exécutions, inondations, famines dont j'ai engrangé les images.

Sale mémoire que la mienne, alors, comme on dit « sale temps » !

L'étonnant est que, lorsque j'en appelle à cette faculté qui fait partie de mon équipement organique, la mémoire puisse se montrer aussi obéissante que fantasque et capricieuse. Comme si elle possédait une sorte de libre arbitre. Quand, par masochisme, envie d'avoir mal, je lui réclame du « mauvais », j'aimerais qu'elle refuse d'obtempérer pour me lancer, coquette, languissante : « Alors là, ma vieille, je ne sais plus, j'ai oublié... Débrouille-toi sans moi pour alimenter ton spleen ! »

Mon beau navire, ô ma mémoire, et si toi et moi décidions de ne plus naviguer qu'en eau claire, calme et lustrale ?

La langue française serait-elle morale ? Comme d'ailleurs toutes les langues dans lesquelles il existe un nombre considérable de mots aussi bien pour désigner l'atrocité — massacres, injustices, tortures — que pour réclamer l'équité, vanter la paix et le bonheur.

Le langage, cette matérialisation de la mémoire, regroupe et exprime tout ce que l'humanité espère, observe, recense, subit, souhaite, rejette, condamne depuis qu'il est des hommes et qui parlent.

Si l'on n'avait affaire qu'au langage, on pourrait facilement conclure que tout va vers le mieux dans le meilleur des mondes humains. Certains mots sont si grands qu'en ce qui me concerne, ils suffisent à me mettre les larmes aux yeux. Passion, par exemple. Ou amour, éloge, clémence, cœur, tendresse... Des vocables qui, pour traîner, défraîchis, dans les caniveaux de la publicité, alimenter le faux-semblant, le faux-témoignage, de la propagande, les prostitutions de toutes sortes, ne sont pour autant jamais irrévocablement flétris ni dévalorisés.

Un bain de sincérité et les voici redevenus gemmes, puis diamants issus de l'aspiration de chacun à son meilleur, lequel consiste à respecter, favoriser la vie en lui et hors de lui. Puis à transmettre.

Or, qu'est-ce que le langage, ce véhicule de la transmission, sinon de la mémoire en gros et au détail ?

Tous les jeudis, l'Académie française se penche sur l'usage mémorisé et immémorial d'un mot pour savoir si elle l'admet, le conserve, le « naturalise » dans le dictionnaire. Tâche délicate, capitale. Les Français sont capables de se dresser, furieux, comme un seul homme, pour un mot retiré du dictionnaire sous prétexte qu'il serait tombé en désuétude.

Rien du dépôt laissé par le travail humain n'est dépassé, devenu superflu. Du moins dans l'ordre du symbole. La pensée, les signes inventés par l'homme à partir de la nature dont il fait partie sont là, semble-t-il, pour l'éternité.

Mais si le langage appartient à la mémoire, d'où viennent alors les mots nouveaux ?

Ils surgissent d'un lapsus, d'un mal-entendu, d'une déformation phonétique, d'une faute de prononciation commise par un enfant, une abréviation voulue par un adolescent dans son besoin d'aller vite qui l'incite à raccourcir, tronquer un vocable. Ou d'un code élaboré par lui dans son désir de s'inventer une langue semi-secrète, comme le verlan.

Toutefois, le nouveau est issu de ce qui existe déjà.

L'espéranto, qui se présentait comme « neuf », forgé de toutes pièces, Meccano prétendant se substituer à un mécanisme vivant, ne prend pas.

Nos cellules sont réputées conserver la mémoire de toutes les substances — aliments, médicaments, etc. — que nous aurions absorbées depuis notre naissance. D'où des allergies persistantes. La mienne est aux sulfamides qu'on m'a injectés il y a plus de trente ans. Mes cellules se sont renouvelées, mais la mémoire du traumatisme s'est transmise : un comprimé de Bactrim, et c'est l'œdème de Quincke... On dit même que nos cellules se souviennent des végétaux préhistoriques dont nos ancêtres — pas encore *homo sapiens* — se seraient nourris ! D'où des réactions parfois salutaires à l'absorption de plantes pourtant délaissées depuis bien longtemps. Comme celles, surprenantes mais désormais médicalement reconnues, de tel ou tel médicament homéopathique : plus la dilution est faible, de l'ordre du millième, plus la substance agit sur un organisme préparé par une dilution plus haute. Si ce n'est pas la mémoire qui agit !

Quant au langage, s'il nous enchante,

nous berce, nous console, nous apaise, nous révolte après nous avoir mis en mouvement dès les premières heures de notre vie, voire même avant, c'est que nous possédons un « centre du langage » logé dans un lobe de notre cerveau. Que s'y trouve-t-il, sinon une sorte de « mémoire » qu'on peut dire vierge, comme celle d'un ordinateur qui n'aurait encore rien enregistré ? Si nous ne possédions pas une mémoire « préformatée » comme il en existe une dans la machine électronique, rien ne pourrait s'y inscrire.

Plus vieille que moi de par son origine, ma mémoire me fait peur : est-ce qu'elle ne commande pas tout ce qui me concerne et me fait vivre ?

À commencer par ce que j'écris là ?

Je voudrais ajouter... J'ai oublié !

On dit des vieux qu'ils ne vivent que par leur mémoire. Il est vrai qu'à partir d'un certain moment de la vie, ce qui advient paraît le faire comme en écho. À un lieu, mais aussi à un nom, un geste, un mets, une œuvre d'art, un film, un livre, un air de musique, la livraison d'un bouquet, le surgissement d'une douleur, la naissance d'un enfant...

On a déjà assisté à cette scène! On a déjà ressenti ça! Qu'on se dise ou non : « C'était mieux avant! », on est dans le retour, la reviviscence. Des images se superposent : ce qui nous parvient du présent ne peut plus être pur.

Ni vierge.

Le vierge, le vivace et le bel aujourd'hui... Le vers de Mallarmé sonne en partie faux. Aujourd'hui il peut certes apparaître comme vivace et beau, il n'est plus vierge. Ce qui se présente attire les souvenirs précédents comme de la limaille. Ils accourent de tous côtés, se chevauchent, se recouvrent, insoucieux de la chronologie...

C'est riche, on vit sur plusieurs niveaux. Toutefois, l'image est troublée, tremblée, à la façon dont un appareil photo déréglé prend plusieurs clichés sur la même pause... Quel est le « bon » ?

Étant donné que nous aimons l'ordre (moi du moins), nous cherchons à classer, ranger, dater tout ce fatras. Cet enfant-là, que j'ai vu à trois jours, un mois, cinq ans, dix ans, etc., et qui en a à présent dix-huit, il faut que je mette en mémoire son visage d'aujourd'hui pour quand je voudrai l'évoquer. Que j'enregistre où il en est de ses études, de son développement, de ses projets, et jusqu'à sa voix. Où nous en sommes de nos relations, ce jeune homme et moi : puis-je encore l'appeler « chéri » et lui passer la main dans les cheveux ? En son absence, c'est l'enfant de dix ans que je revois, celui qui se jetait si bien, si fort dans mes bras, et non pas la grande endive — provisoire... — qu'il est actuellement !

Quel incessant travail de réajustement ! Comme il fatigue, parfois irrite, nous devenons injustes : accusant autrui du seul fait qu'il a « changé », ce qui nous oblige à des révisions.

Pis encore : cette évolution des êtres nous contraint à nous demander où nous en sommes avec eux. Là aussi, ça bouge continuellement et les gens qui ne nous retrouvent plus tels qu'ils nous ont connus, ou tels qu'ils nous imaginent après passage du temps, nous en veulent. Cela va du « Comment fais-tu pour garder ta silhouette de jeune fille ? » à « Eh bien, tu en as du succès ! » L'un comme l'autre me sonnant aux oreilles comme un reproche.

Alors que mes nouvelles connaissances, n'ayant pas à s'adapter à mes avatars, se révèlent beaucoup plus tolérantes, la plupart de mes brouilles avec mes proches tiennent au fait, pourtant normal et nécessaire, que j'ai évolué et que cela les fatigue...

Suis-je aussi feignasse à leur égard ?

Sans doute. Quoique, pour avoir conscience de la fuite des jours, je sais oublier. Parfois même, je parviens si bien à faire abstraction du passé que je ne me rappelle plus que je suis en froid avec telle ou telle personne ; je la rencontre et, comme autrefois, lui souris à son vif étonnement. Avec d'autres, je ne me souviens que de nos accrochages, omettant que nous nous sommes récemment rapprochés.

Le travail de l'amitié se fonde sur la mémoire. Il faut faire continuellement le tri entre ce qu'il convient de maintenir et ce qu'il faut jeter à la corbeille.

Toute l'histoire des relations diplomatiques entre pays repose d'ailleurs sur cette même besogne de chiffonnier. Certains grands hommes l'accomplissent à merveille, d'autres pas. Ah, si on avait su effacer la dette de l'Allemagne après 1918, il n'y aurait peut-être pas eu de Deuxième Guerre mondiale! Mais on cultivait la mémoire à l'instar d'un devoir d'État, à l'époque.

Une mémoire de chien.

Cela m'arrive, à moi aussi, d'être chien avec mes plus chers. De ne rien pardonner. Comme s'il y avait de l'amour à me souvenir de tout, du mal comme du bien qu'on m'a fait.

L'on nomme d'ailleurs « mémoire » un écrit récapitulant tout un passé, entre autres une liste de dettes...

Ma mémoire regorge de tels « mémoires »!

Ce que j'écris en ce moment en est un.

S'il pouvait servir à en effacer quelques autres. À solder de vieux comptes. (Mais pas tous... Restons vigilants!)

Il m'arrive parfois de comparer la mémoire à un pot de mélasse, tant est grande ma difficulté à abandonner certaines représentations que je me suis forgées des uns, des autres, de moi également, pour les remplacer par de nouvelles. Ainsi, par celles que je me suis élaborées au cours de ce dernier amour.

« Élaborer » peut-il être utilisé comme un verbe réfléchi ? Mais est-ce assez étrange que je m'interroge sur un point de grammaire au moment où je me penche sur ce qu'il y a de plus sensible et évolutif en chacun ! C'est que la mémoire dépend aussi de la syntaxe, accrochée qu'elle y est comme le lierre au mur, la treille à son support. Ma mémoire a du mal à fonctionner sans mots ; mon obsession est de lui en fournir. Et ces mots sont eux-mêmes pris dans un réseau de règles et de constructions préétablies, celles du français. De l'anglais, parfois. Mais, avec l'anglais, je ne laboure pas mon sol, je virevolte en surface.

« Ce dernier amour », ai-je dit, et vous l'avez retenu ? N'entendez pas qu'il n'y en aura jamais d'autre ; c'est seulement le dernier en date, donc celui qui surclasse tous les précédents. Un amour réel et non une passade — quel joli mot, plus pianistique qu'amoureux, mais l'amour est musique ! — qui vous empoigne au point qu'on est prêt à tout quitter pour lui.

Je me souviens de chacune de mes passions, je peux me remémorer les visages, la première baise, l'adieu, les paroles définitives, les irritations, les plaisirs et les douleurs... Seulement voilà, je n'en veux plus !

Si l'on me proposait, sur un coup de baguette magique, le retour de l'un de ces amants tant chéris, je dirais non.

Comme s'il y avait eu, dans ma mémoire, saturation.

Alors, ce n'était pas de l'amour, s'il n'est pas éternel ?

Il l'est à sa façon, devenu concrétion comme cette Lune qu'on dit un morceau détaché de la planète Terre, composée des mêmes éléments, satellite à jamais, mais morte.

Chacun de mes amours passés a viré au satellite mort gravitant à perpétuité dans ma mémoire.

Tout nouveau baiser est déposé sous cette haute surveillance. Et je m'émeus d'autant plus de l'actuel bouleversement que chaque geste, chaque caresse, cri, parole font écho à ces attachements désormais pétrifiés, objets célestes dont la musique désuète fait cortège à mes nouvelles noces.

Nous n'oublions jamais rien de l'amour, et les psychanalystes ont beau jeu à nous tirer en arrière, vers le tout premier corps à corps, le premier baiser, la première caresse, les premières satisfactions et déceptions charnelles.

Et chez toi, mon nouvel amant, qui vais-je coudoyer ? Marguerite, Sophie, Renée, Viviane, Jeanne, Régine, Marc ou Guy ? Elles — parfois ils — sont là, immobiles et pourtant vivantes quand tu m'embrasses, me dis comme tout à l'heure au téléphone : « J'ai envie de toi. »

Quant tu me prends dans tes bras qui savent par longue expérience comment me tenir, me déclarant par leur légère pression que tu es présent et, en même temps, que tu me laisses libre de disparaître.

Toutes les étreintes suscitent et ressuscitent des souvenirs. Avant de faire à leur tour mémoire.

Qui profitera de mon passage en toi, demain, plus tard, quand tu iras vers quelque autre ? Qui rencontrera ma trace au plus vif de tes caresses ?

À quoi te sert-il de perdre ta mémoire de

tête, quand celle de ton corps est indélébile ?

Parce que tu es définitivement mien, toi, mon amant d'un jour.

J'en arrive au plus complexe, au plus désorientant — pour moi du moins.

Nous prenons plaisir.

À quoi?

Mais à l'affreux, vous le savez bien!

À l'évocation du bonheur, mais aussi de l'horreur.

Des atrocités plus encore qu'à celle des bons moments ou du prétendu « normal ».

À nous les inondations, les éruptions, les épidémies, les égorgements! Vive l'exceptionnel, le jamais-vu, le hors-bornes, le hors-normes, le *horla* du génial Maupassant!

Vous commencez à me suivre?

Vous savez de quoi se repaissent et s'enrichissent magazines et journaux télévisés. S'ils s'y complaisent, vous le savez aussi, c'est que vous-même achetez et regardez, de préférence, presque exclusivement ce qui vous choque, vous scandalise, vous effraie. Ce malheur d'autrui qui fait souffrir, mais pas seulement : qui excite et distrait.

C'est un bien triste privilège de l'humain que de prendre plaisir à l'effroyable. Les animaux se détournent du cadavre d'un congénère, parfois aussi — s'ils ne le considèrent pas comme de la nourriture, une nécessité vitale — de la dépouille d'un animal d'une autre espèce. Mes chiens tuent l'oiseau proprement, mais ne le mangent pas, ni le mulot, ni le lapineau. Ils le détruisent, certes, mais l'oublient.

Quant à nous, nous fouaillons les entrailles des cadavres.

Et comme le vécu ne suffit pas à notre soif d'inhumanité — on appelle ainsi l'humain trop humain —, il nous faut le reconstituer. Récits, films, bandes dessinées, toutes les imageries s'y emploient.

Les grands succès cinématographiques étaient bien des films de guerre ; la science-fiction a fait de l'horreur, de l'affreux et du sordide une mode privée des plus jeunes. La justification de cette mise au jour du pire serait que mieux on connaît, mieux on serait armé pour l'éviter... N'empêche : il s'agit aussi et avant tout d'un spectacle.

Depuis Goya, on sait que les atrocités de la guerre sont un sublime sujet pour l'art. Il y a aussi les crucifixions, les exécutions, les hécatombes et les naufrages. Les grands artistes plongent tête la première dans l'atrocité. Reconstituée, représentée et applaudie. Savourée. Voyez Picasso, son chef-d'œuvre : *Guernica,* sans oublier ses corridas. Les toiles sanguinolentes de Francis Bacon. On applaudit aux égorgements de Shakespeare, des grands opéras meurtriers, des chorégraphies où les jeunes premiers tombent raides morts, comme Roméo avec sa Juliette.

De même, les films où des animaux s'entredévorent font recette. Pour moi, je le dis tout net : je n'en veux rien voir du tout. Abonnée à certains magazines qui entendent défendre les animaux torturés, je paye mais jette l'envoi sans l'ouvrir. Ma jouissance n'est pas de cet ordre.

La vision de ce que l'homme fait de mal à l'homme, à la nature, à lui-même, me démolit. Voir en gros plan une cellule cancéreuse ronger un organe, celles du sida envahir le sang, me fait mal. Je n'ai pas de curiosité pour les processus de l'antivie, je n'éprouve à leur vue que du chagrin, de la douleur, de la compassion.

Je voudrais pouvoir tout empêcher : aussi bien l'abattement des grands arbres dans ma ville de Saintes que les feux de forêt en Amazonie, que l'exploitation des bois précieux en Afrique au mépris de leurs habitants, ailés ou jambus.

Qu'est-ce que tout cela a à voir, direz-vous, avec la mémoire ?

Si on la surcharge d'images d'anéantissement de tout ce qui nous fait vivre, un jour on finit par se détruire ou par détruire les autres. Par imitation.

Pour la simple raison que la mémoire atténue, affadit ce qu'elle a déjà enregistré, et qui se répète.

Le nazi qui a vu dix fois, cent fois assommer un enfant contre un mur n'y trouve plus rien de mal. Pas plus que ceux qui ont vu occire des poules ou des cochons.

On ne peut plus compter sur ces égorgeurs engorgés pour se révolter contre l'abomination. Ils ne ressentent plus que c'en est !

On s'habitue.

On se durcit, aussi.

On se durcit trop !

Je préfère — et j'en connais — ceux qui s'attendrissent, s'amollissent avec le temps, supportent de moins en moins les massacres, le déni de la douleur de toute créature vivante, comme aussi de la leur.

Les gens qui ne souffrent plus de rien me font peur.

Ils vous tueraient comme on écrase une mouche.

J'écrase de moins en moins les mouches.

J'aime les êtres sensibles à toute douleur.

Dans les hôpitaux, on vient de découvrir la souffrance des bébés, des nouveau-nés. Bravo ! Mais pourquoi a-t-on mis tant de temps à s'apercevoir qu'un enfant qui crie a mal ? Parce qu'on s'était habitués, pour travailler à les soigner, croyait-on, aux cris des enfants.

La plus redoutable fonction de la mémoire est d'engendrer l'habitude. Soi-disant protectrice.

On peut retourner la proposition : la meilleure fonction de la mémoire est de nous rappeler que nous sommes constamment cernés, menacés par la douleur. Que la vie est tout autant porteuse de souffrances que de bonheur et de joie. À tout instant, il s'agit de faire notre choix.

Pour moi, je ne consomme pas la douleur, n'y prends aucun plaisir, je la rejette, la refuse. En revanche, je veux entretenir et protéger la joie.

Tu entends, ô ma mémoire ?

Garde ça dans un coin de ma tête !

Tout avait été si dur pour elle depuis sa plus petite enfance.

Et si merveilleux.

À partir de minuscules clichés d'avant-guerre — Maman avait toujours adoré les photos —, de petites lettres jaunies, repliées en huit, du carnet de comptes de ma grand-mère tenu pendant la guerre de 14, je reconstitue sa vie.

À ce que j'en crois.

Tous, un jour ou l'autre, nous tentons de nous raconter la vie de nos parents, qu'ils aient entrepris ou non de le faire devant nous à notre intention.

Maman, ma grand-mère ne m'avaient pas confié grand-chose : ce qu'elles disaient avait affaire avec le deuil — deux enfants décédés — et avec la difficulté de vivre en ce temps-là, presque la misère.

Pas gai ? Eh bien, si ! À travers leurs quelques mots, leurs rappels de « comment c'était », je sentais circuler l'amour. La joie. Les photos en éclatent, en débordent.

Jeunes femmes en robe blanche et chapeau cloche, rieuses, se tenant par le cou, la taille, en escarpins légers sur les routes cailouteuses du Limousin d'alors. Parfois ma grand-mère est parmi elles, tout en noir, elle tente de se dissimuler le visage, mais ses filles et les amies de ses filles l'en empêchent tendrement. La forcent à affronter l'objectif, c'est-à-dire l'œil de l'avenir.

Moi.

Serais-je venue au monde si elles n'avaient pas été heureuses au point que la vie se reproduise en elles ?

Au point de procréer ?

Comme tout le monde, il m'est arrivé de me dire : « Pourquoi suis-je née ? La vie, ma vie ne vaut rien ! »

Blasphème ! Vivre est un don auquel il s'agit de consentir, à partir de quoi tout prend sa place, son sens, même la désolation.

Tout le monde ne fait pas ce cheminement, ce travail. Je ne sais pas comment j'y suis parvenue, mais je ne peux plus parler de la vie de ceux et celles qui m'ont précédée que comme d'une bénédiction.

Ma mère, m'a-t-on dit à plusieurs reprises en analyse, ne fut pas « une mère ». Enfermée dans son ego, son narcissisme, son don créateur, elle n'était pas faite pour cela.

Aujourd'hui, je vois la trace de cette création innombrable — plus de trois cents modèles par an pendant quarante ans — dans une foule de magazines, de musées, d'ouvrages — jusqu'à ce sublime livre édité au Japon.

Ma mère vécut dans le sublime.

Et moi dans l'éblouissement.

Mais je n'ai pas eu de « mère » au sens de quelqu'un qui vous materne, vous nourrit, vous prodigue les mots et les gestes qui incitent à vivre.

Maman, m'a-t-on dit, m'a nourrie au sein. Puis ce fut fini. Je n'ai aucun souvenir de ma mère me tendant une cuillère en me disant : « Ouvre la bouche. » Aucun souvenir de Maman me faisant la cuisine, me prenant la main pour me faire marcher, me soignant quand j'étais malade. Je n'ai jamais vu Maman danser ou chanter. Maman ne jouait d'aucun instrument de musique. Sa distraction : les cartes (bridge, patiences), les jeux d'adresse (bilboquet, osselets). Maman ne cousait pas, ne jardinait pas (moi non plus). Maman ne m'a rien appris : ni à nager, ni à monter à bicyclette, ni même à conduire une voiture alors qu'elle en avait une. (Je me suis tout appris seule ; plus exactement, j'ai su faire d'emblée, tant était puissant mon désir d'y parvenir.)

Le prétexte de cette absence était que Maman avait « autre chose à faire ».

En réalité, Maman avait peur — pour quelle raison ? — de ne pas savoir entretenir la vie chez ses enfants. (Quel aria quand l'une de nous était ne fût-ce qu'en-rhumée ! Aussitôt, on appelait le médecin !) Elle avait trente-cinq ans quand je suis née. J'étais son premier enfant et, pour l'époque, c'était tard. Ma grand-mère aurait d'ailleurs reproché à mon père de l'avoir mise enceinte : « On ne fait pas d'enfants à une femme comme ça ! »

À l'époque, une grossesse, un accouchement constituaient un risque, et Maman créatrice, « gagneuse » pour toute sa famille, n'aurait pas dû le prendre.

Au-delà du risque encouru, ma grand-mère pressentait peut-être que ma mère n'avait pas la fibre maternelle. Elle-même en était abondamment pourvue, et comme Mémée vivait avec nous, j'ai quand même été maternée — mais pas par ma mère.

Cette plus belle Maman du monde ! La plus douée dans son art. Respectée. Autoritaire, aussi. Maman ne faisait que ce qu'elle voulait, quand elle le voulait. Je ne l'ai jamais vue céder. (Ma sœur non plus ne cède pas, mais, chez elle, ce n'est pas en vue d'une création, c'est par refus de ce qui ne lui a pas été donné : le droit à une vie d'amour.)

Vivre dans et pour l'amour : je n'ai songé qu'à ça. Lorsqu'on me disait : « Et votre carrière, il faudrait penser à votre carrière ! », j'étais stupéfiée : c'est quoi, une carrière ? C'est quoi, la retraite ? Il n'y a que l'amour qui compte, ne le sait-on pas depuis que le monde est monde ?

Reste que je n'envisageais cette vie d'amour que sous une seule forme : faire couple avec un homme.

J'y suis presque parvenue : désormais, je suis dans l'amour. Pourtant, je vis seule. C'est une autre histoire...

Peut-être la continuation de celle de Maman ?

Maman n'a été mariée que sept ans ; le reste du temps, elle a vécu avec sa mère, sa sœur, ses filles. Des femmes. Puis Maman a perdu sa mère, sa sœur, sa maison de couture et enfin la mémoire.

Y a-t-il une relation de cause à effet ?

En réalité, la mémoire est à notre service.

Je le constate mieux encore sur autrui.

Certaines femmes de ma connaissance, surtout celles qui furent d'une beauté fracassante, ne veulent plus jeter le moindre regard sur leurs photos — je m'empresse, quand je peux, d'en soustraire les clichés à leur destruction.

C'est que le rappel de leur apogée les fait souffrir, de même que celui de leurs défuntes amours : « Il m'a abandonnée (ou il est mort), je ne veux plus y penser », se plaint-on. Et de refouler au plus profond de soi l'image de l'aimé disparu.

C'est là où nous différons : si l'évocation du bonheur passé les fait souffrir, pour moi je me réjouis du mien.

Question photos, par exemple : je me constitue des séries d'albums en y rassemblant des clichés de tous les temps. Certes, il fut une époque où j'étais plus belle, plus jeune, à ce qu'il me semble. Mais, au lieu de me dire : « C'est épouvantable, je ne suis plus comme autrefois, tout est fini pour moi... », je me dis : « J'ai été ainsi, j'en ai profité et en profite encore ; cela m'appartient, puisque j'y repense... »

Sans compter que je ne cesse de m'en servir : j'utilise mon vécu pour mes écrits. Sinon, les bonheurs aigus de l'adolescence, les fauves violences de la jeunesse, d'où les tirer ? Comment savoir ce qu'il en est de l'amour actuel ? Les jeunes demeurent cois sous leur peau lisse ; les autres s'égarent loin du réel.

Ma mémoire est mon avoir, et je fais avec elle comme les avares : je compte et recompte mon magot, désolée si j'en perds une bribe.

L'une de mes vraies joies étant de l'enrichir encore avec une image, un souvenir qu'on me rapporte :

« Souviens-toi, ce jour-là, ensemble...

— Tiens, je l'avais oublié ; grâce à toi, cela me revient... »

Le « cela me revient » doit s'entendre de toutes les façons : cela me revient parce que tu me le rends, mais aussi parce que c'est à moi !

Bien sûr, c'est surtout à l'amour que je songe.

Pour m'étonner de l'acharnement que mettent certains à détruire leurs meilleurs souvenirs. Quittés, trompés, ils veulent que

106

rien de bon ne leur soit jamais arrivé dans le domaine des sens et du cœur.

Ma propre mémoire travaille à l'inverse : j'oublie le mauvais pour ne me rappeler que l'exquis — un premier baiser, des serments éternels... Pas tenus ? Et alors ? J'ai été cette femme à qui l'on a juré un amour éternel et, puisque je m'en souviens, je la suis encore.

Avoir franchi un seuil dans des bras masculins tandis qu'on me chuchotait à l'oreille : « Tu es ici chez toi pour toujours... » S'être aussi entendu déclarer : « Tu ne seras plus jamais seule... » Écrire (j'ai conservé les lettres) : « Aucune femme jamais ne m'a donné autant de plaisir... »

Délectable !

Comment puis-je m'en réjouir, dites-vous, alors que je ne le vis plus et que la plupart de ces affaires se sont mal terminées ?

Mais c'est grâce aux ruptures que j'ai pu vivre d'autres merveilleux moments ! Chaque aventure qui s'efface fait place nette pour une autre. Aurais-je autant de souvenirs heureux, éblouissants, romanesques en diable, s'il n'y avait eu autant de pages tournées ?

Et la question demeure pendante : est-ce le destin qui m'a fait rencontrer tant d'hommes infidèles, ou est-ce moi qui ai provoqué leurs échappées ?

La réponse ne m'apparaît pas clairement. D'autant que, pour mon compte, je me sens du genre fidèle. Fidèle à qui ?

À quoi, plutôt ?

Fidèle à l'amour.

Au tout premier : à celui que ma mémoire d'enfant naissant a enregistré comme étant l'absolu. Il s'est aussitôt inscrit dans ma mémoire vierge pour définitivement l'impressionner.

Et, depuis ce premier « big-bang », ma mémoire m'aide à me fabriquer continûment du bonheur.

Exemple : je revois en pensée un homme au moment où il me dit (que ce fut douloureux) : « C'est fini entre nous, j'en ai rencontré une autre plus neuve, plus jeune... » Or, ce qui me revient aujourd'hui, au lieu d'une crispation de souffrance, c'est le bleu de ses yeux, la lumière dorée qui entrait par la fenêtre de ce rez-de-chaussée situé au midi, l'élégance de sa pose, jambes croisées, et ma jupe en corolle autour de moi... Oui, je me vivais comme une fleur ! Lui, étant le bourdon qui m'avait ensemencée de bonheur. Mon amant pouvait s'envoler ailleurs ; le bonheur, lui, me restait !

Les présents de la mémoire, quand on sait les recueillir, sont mirobolants : la manne dont chaque artiste nourrit son œuvre.

Soyez *votre* artiste !

Sans les verres destinés à compenser ma myopie, j'aperçois des taches colorées, des formes confuses. Ce flou visuel n'empêche pas mon cerveau de chercher à identifier. D'où des confusions parfois comiques, dangereuses ou poétiques.

Ainsi, j'ai tendance à prendre ce qui est blanc et noir pour ma petite chienne, du rouge dans la rue pour une borne à incendie, une personne inconnue pour une amie — quand ce n'est pas l'inverse... Cet empressement de ma mémoire à me « servir » en me fournissant quelque chose, n'importe quoi, me touche. Elle ne veut pas, semble-t-il, me laisser dans le vague face à du non identifié, ce qui pourrait — c'est vrai — me faire peur.

« Non, il ne s'agit pas d'un *horla*, d'un extraterrestre ! Rassure-toi, tu es devant un poteau indicateur ! »

En réalité, le poteau est un arbre ; d'ailleurs il bouge dans le vent ! L'erreur n'est pas grave ; en tout cas, c'est « quelque chose » de la réalité... D'autant qu'il me suffit de chausser mes lunettes pour que la méprise soit réparée.

La reconnaissance à laquelle vous force la mémoire peut avoir des conséquences fâcheuses lorsqu'il s'agit de l'affectif. Avec le temps qui passe et la mémoire qui ne veut pas lâcher prise, on risque de devenir méfiant face à toute nouvelle rencontre : « Ce coup-là, on te l'a déjà fait ! N'oublie pas comment les hommes (ou les femmes), si charmants au début, peuvent se révéler trompeurs. Tu vas te faire avoir, une fois de plus ! »

En amour comme en amitié, voire dans des relations professionnelles, on se « rappelle » une rencontre qui s'est mal terminée, et vite de rompre ! La mémoire agit alors comme un censeur, un frein.

Je dois sans cesse reprendre la mienne en main : « Cesse de me retenir, il s'agit d'une autre personne, d'une situation différente. Tout est changé ou peut l'être... »

Ce qu'il y a de différent, en l'affaire, c'est surtout moi. Je ne saurais me conduire de la même façon qu'hier dans cette nouvelle circonstance ; éventuellement, je me conduirais « mieux ».

Oui, le mieux existe : une réponse plus adaptée, plus intelligente, mais le blocage-mémoire gêne à son avènement. La mémoire ne veut connaître que la répétition.

Comme au théâtre où, d'un soir sur

l'autre, l'acteur est prié de réciter le même texte. S'il varie, il se fera taper sur les doigts. Pourtant, il a senti dans le public comme un frémissement qui réclamait du changement... Il n'y a que le metteur en scène qui peut se permettre d'accommoder Racine ou Shakespeare à sa façon — quitte à se faire huer quand la « mémoire » des *aficionados* veut revenir au « même » : « Ce n'est pas comme ça qu'on joue Racine ! »

Ah bon, et pourquoi pas ?

Parce que c'est rassurant de se référer au passé, pour mieux répéter.

Ne faisons rien, surtout rien de nouveau, c'est plus sûr... Sempiternel refrain de la mémoire ! D'où la répétition, de génération en génération, des mêmes erreurs, des mêmes guerres, des mêmes drames ! Heureusement qu'à côté de la mémoire, il y a cette petite lueur, cette diablotine, cette aventurière, l'imagination qui, elle, veut tenter autre chose...

« Tu vas encore te casser la figure ! lui crie la mémoire, affolée.

— Tant pis, je prends le risque !... » répond l'imagination en passant à l'acte.

C'est assez mon genre.

« Je me souviens, tu étais assise à l'écart. Je me suis demandé ce que tu faisais là, je me suis approché et tu m'as vu... »

Mille fois on peut évoquer ce premier regard. La mémoire, n'ayant pas encore de déjà-vu, de déjà-vécu à fournir, s'est fabriqué là un prototype.

Le premier baiser aussi, la première fois qu'on entend « sa » voix au téléphone ou qu'on reçoit une lettre de « son » écriture. Mnémogramme toujours plat.

Que d'émotion, que de plaisir sans la mémoire pour ricaner, la garce : « C'est encore lui qui t'appelle, ça recommence !... » Sous-entendu : du réchauffé !

Comment demeurer dans le commencement, garder ce que poètes et cinéastes appellent l'« œil sauvage » ? Comment continuer à vivre, à aimer comme si c'était encore la première fois, alors qu'on traîne ce chapelet de grands et de mauvais moments comme une série de casseroles ?

En se forçant.

Vilain mot, peut-être, mais je n'en connais pas d'autre.

Je me « force » tous les matins à me dire : « Un nouveau jour tout neuf, qui va t'apporter de l'inconnu... » Puis je m'approche de la fenêtre et je me « force » à regarder le paysage, fût-ce la pierre de Paris, comme si c'était « la première fois ».

Il y a toujours quelque chose que je n'avais pas vu, une autre lumière, des rideaux chez le voisin, des géraniums sur un balcon, d'autres nuages dans le ciel.

Ma perception surtout est différente.

Quel grand peintre disait à son disciple : « Regarde un arbre jusqu'à ce que tu aies le sentiment de le voir comme jamais personne avant toi ne l'a vu... Alors seulement tu pourras te mettre à le peindre » ?

Quand je perçois mon monde familier comme je ne l'ai jamais vu avant ce jour, alors je peux commencer à y vivre.

Ce qu'il y a de plus dangereux concernant un être aimé, c'est d'en arriver à se dire : « Je ne m'étais même pas aperçu qu'il avait changé... »

On veut discerner là un compliment. En fait, cela signifie qu'on ne le regarde plus, qu'on n'a pas perçu les ravages de la maladie, l'installation de l'âge, de la tristesse ou de l'indifférence... ou bien l'arrivée d'un nouvel amour...

C'est la trop grande confiance qu'on fait à la mémoire qui nous trompe.

Après m'avoir lue, mon père me disait :
« Tu en as, de l'imagination ! »

Et moi de protester : « Mais non, Papa,
ce que j'écris, je l'ai vu, senti, éprouvé... J'ai
seulement recopié ! »

Nous avions tous deux raison. Je ne fais
que représenter ce que j'appelle « le réel ».
Toutefois, dans ma façon de percevoir,
d'observer, j'invente, je projette.

Sur les humains, que je dote de sentiments et de pensées que peut-être ils n'ont
pas. Sur les animaux à qui je prête une vie
intérieure. Sur les plantes que je « vois »
souffrir ou se réjouir. Sur la nature entière
qui m'en raconte de belles... Et tout ce que
me chuchote la mer de son immense saga
millénaire...

Qu'y rajouterais-je ? Tiré d'où ? Venu de
quel autre monde dont je n'ai pas la
moindre idée ?

Même la science-fiction n'est qu'un ragoût de ressenti différemment mijoté.

La folle du logis n'en sort pas.

De quoi ?

Mais du logis !

La mémoire bénéficierait-elle d'un troisième âge ?

Oublions qu'elle faiblit, parfois durement, pour ce qui est de l'actualité, et se renforce pour ce qui touche au passé. Phénomènes dûment constatés, expérimentés par chacun de nous quand vient son tour — avec le même étonnement que s'il le découvrait !

C'est autre chose que j'éprouve aujourd'hui, de l'ordre du merveilleux : à chaque moment d'émotion ou de rêverie, tous les souvenirs relatifs à des instants du même ordre apparaissent en bloc compact pour soutenir, renforcer, porter au zénith mon vécu.

Quand, dans mon jardin, je vois un tout jeune arbre croître de semaine en semaine, le souvenir de tous les arbres que j'ai connus, depuis les tout premiers (charmes, poiriers, sapins, chênes de mon enfance), vient renforcer mon sentiment de joie. Le cercle entier de ma famille Arbres est d'un coup présent à mon esprit et mon cœur, se penchant avec moi sur les progrès surprenants du petit « nouveau ».

Je pourrais écrire des pages sur chacun de ces sujets-arbres qui ont, ne fût-ce qu'un instant, parfois toute ma vie, retenu mon attention. Ou me contenter — elle serait déjà longue — d'une énumération. Du hêtre rouge de Bourdonné, dont j'ai fait le dessin, aux vieux platanes classés de Bagatelle et du Pré-Catelan, aux belles « pièces » — comme dit mon ami paysagiste — du jardin de Saintes que m'a légué mon père, lesquelles furent plantées par mon arrière-grand-père : c'est une liste interminable mais que je sais complète. Où ça? Mais dans ma mémoire!

Ce remarquable personnage que fut Fernand Chapsal, maire de Saintes, a planté sur son territoire municipal, place de la Liberté, un arbre du même nom, devenu âprement gigantesque. Pas plus tard qu'hier, je passe devant en voiture et vois une dame avec un landau, assise à son ombre. J'ai eu envie de m'arrêter pour lui confier : « C'est mon grand-père qui l'a planté, il y a bien plus de soixante ans; j'ai les photos de la cérémonie... »

Aurait-elle trouvé mon intervention bêtasse et inopportune? Je me suis contentée de ma joie.

Une joie de mémoire.

D'autant plus curieuse qu'au moment de

la mise en terre de l'arbre, je n'étais pas née, ni même conçue.

La mémoire est une chaîne sans doute imbriquée à celle de l'A.D.N. et qui, de temps à autre, émet des « flashes » à notre intention. Comme pour nous dire : « Rien n'est perdu, rien n'est oublié, tout est comptabilisé. Je garde tout ! Tu n'auras pas vécu, aimé, souffert en vain ! »

Une mémoire peut se révéler sacrée, tout comme il existe une mémoire idiote. Parfois, c'est la même.

Ainsi la célébration du 11 Novembre. N'est-il pas stupide de fêter notre victoire sur les Allemands à l'heure de l'Union européenne et de la réconciliation franco-germanique ? Mais n'est-il pas sacré de continuer à rendre hommage aux morts de ce cataclysme imbécile ? et d'inculquer aux plus jeunes le souvenir et le respect de ce qu'on a appelé le « sacrifice » de toute une génération ?

Il pourrait être plus éducatif de réunir ces deux mémoires en une seule. Ce qui manque, pour y parvenir, c'est l'explication. Il faut dire qu'elle serait longue, et ce qui fait le plus défaut, aux vieux comme aux jeunes, c'est le temps, la patience.

Nous sommes pressés.

De quoi ?

D'échapper à la mémoire, justement.

D'aller vers du nouveau.

Ce faisant, nous ne nous débarrassons pas de ce qui n'a pas trouvé sa place, et qui, de ce fait, continue de nous « courir »...

La clinique des névroses en rend compte. Tous ceux qui se précipitent vers ce qu'ils appellent l'« avenir », en décrétant haut et fort que le passé ne les intéresse pas, ni leur enfance, ni leur ascendance, encore moins ce qui a pu se passer dans ce qu'ils appellent la « nuit des temps », échouent à s'en libérer. En allant vers ce qu'ils dénomment l'« avant », ils ne font que répéter ce qui n'a pas été élucidé. Au sens de « mis en lumière », avant d'être rejeté pour de bon dans le noir bienheureux de l'oubli.

Car l'oubli peut se révéler une grâce, comme l'exprime si bien le langage : « Il sombra enfin dans l'oubli d'un sommeil réparateur... » Pour ce qui me concerne, je désire si fort l'oubli dispensé par le sommeil qu'il suffit que je voie au cinéma ou à la télé quelqu'un de couché dans un lit pour que je sois prise, quelle que soit l'heure, d'une folle envie d'en faire autant ! Ces derniers temps, il suffit même que je distingue l'image d'un lit, ouvert ou non, pour que le désir de m'y allonger me démange.

Qu'on doit être bien, toutes lumières éteintes, drap par-dessus la tête, couette moelleuse, replié sur soi. Ah, dormir, oublier...

Mais dormir, nous rappelle Shakespeare, c'est rêver !

Et qu'est-ce que le rêve, sinon la mémoire devenue libre, ivre d'elle-même, sans entraves ?

J'ai certains rêves, toujours les mêmes, qui me hantent si régulièrement que je m'en exaspère :

« Merde, j'ai encore rêvé de ça... ou d'Untel !... »

Il s'agit d'un homme, voire de plusieurs, que j'ai bien connus. Je ne tiens plus à les revoir, à ce que je crois, mais ils reviennent me visiter pendant la nuit et il se passe — bien malgré moi — ce que vous pouvez imaginer.

Plus convenable, il y a mon rêve de jardin. Cela fait plus de trente ans qu'il resurgit : soudain, je pousse une porte dans mon appartement ou ma maison pour y découvrir derrière un jardin... Je me dis : « Mais je l'ai toujours su, qu'il était là ! » Sous-entendu : « Pourquoi n'ai-je pas poussé la porte plus tôt ? »

Mes thérapeutes m'ont tous expliqué qu'il s'agissait en fait d'un jardin encore à découvrir dans mon être : il y aurait à l'intérieur de moi une sorte de paradis, d'éden après lequel je soupire — le bonheur en somme —, et je n'aurais qu'à pousser une porte (laquelle ?) pour y accéder...

Ils ont sûrement raison.

Or, voilà que je viens d'acquérir à

l'improviste le jardin situé derrière ma maison. J'ai toujours su, comme dans mon rêve, qu'il s'étendait un jardin au-delà de mon mur, mais je n'y songeais guère, car il n'était pas à vendre. Apprenant la disparition de son vieux propriétaire, je n'ai fait qu'un bond chez les héritiers, puis chez le notaire, pour y signer l'acte d'achat. Il n'était pas enregistré que j'avais déjà convoqué l'entrepreneur : « Il faut me trouer une baie et plusieurs fenêtres sur mon nouveau jardin... »

Sitôt dit, sitôt fait. Avec quelle allégresse, je me suis « ouverte » sur des arbres, des fleurs, de l'herbe... Ce n'est que plus tard que je me suis rappelé mon rêve, interprété comme symbolique par mes analystes : « Ça alors, je viens de le réaliser ! »

Est-ce de se voir devenu vrai ? Mon rêve ne me hante plus.

Qu'en conclure ? Que j'avais, tout ce temps-là, le pressentiment de ce qui allait se passer ?

Ou est-ce le fait que je désirais si fort m'annexer un nouvel espace qui a fini par se concrétiser ?

Car, pour acheter le jardin avant tout le monde, il fallait que je sois « sur l'œil », comme m'a dit l'agent immobilier.

À l'affût du rêve caché derrière le réel.

Pour ce qui concerne les hommes dont je continue à rêver, s'agit-il également d'un pressentiment : l'un ou l'autre va-t-il se décider à réapparaître dans ma vie? Pour que mon rêve — en fait, mon désir d'eux — devienne réalité?

Mais un homme, cela ne s'acquiert pas comme un jardin.

L'insupportable, c'est la coulure du temps.

Rien n'est pareil, ni ne se maintient en position. Ni un lieu, ni une idée, ni un sentiment, ni, bien sûr, le vivant.

On le sait que les enfants grandissent, qu'ils sont faits pour ça. Mais que celui qui vous disait :

« Quand je serai grand, je me marierai avec ma maman », vous balance quelques courtes années plus tard : « Toi, la vieille, lâche-moi les baskets, les copains m'attendent... » Ou vous menace du couteau de cuisine pour vous extirper quelques billets pour sa dose...

Comme le temps passe, écrivait Brasillach qui en éprouva férocement les conséquences.

Là où il y avait un pommier, je retrouve une souche, le rosier est devenu yucca — ça encore... Mais, plus loin, on a abattu les érables sans les remplacer, estropié les platanes, retiré les vieux pavés, installé les panneaux indicateurs qui font concurrence au parvis de la cathédrale; la mercerie a fermé, l'épicerie aussi, une banque les remplace, et, sur les quais de la gare, les vieux bancs de bois sont devenus des sièges en plastique.

Le temps que je me retourne.

Je pourrais vous en citer à la pelle, des changements qui ont lieu dans mon dos dans le court laps de temps où je m'occupe à autre chose. Comme à ce jeu de récréation où les copines bougent pendant qu'on s'appuie, dos tourné, contre un arbre. Jusqu'à ce qu'une, plus rapide, vous mette la main sur l'épaule...

Vous devinez ce que cela signifie d'être ainsi rattrapée, mais on ne l'interprétait pas, étant enfant, malgré la peur qu'on en éprouvait. C'était le piment du jeu, que cette angoisse.

Oui, tout changement lent ou rapide, expression de la vie fugace et remuante, signifie aussi la mort.

Et plus tout va vite, plus on la perçoit qui se rapproche.

Il est plus tard que tu ne croies.

Je déteste cette mutation permanente.

Ma parade : je ne m'attache plus! Après avoir eu bien du chagrin en constatant la disparition de lieux, d'édifices, de jardins que j'aimais — je ne vous parle pas de celle des vieux chiens que j'ai eu la chance de fréquenter dans les parcs publics —, j'ai décidé de ne plus m'attacher à rien qui me soit extérieur.

Sans même parler des gens, tous amis que vent emporte, lesquels se révèlent plus éphémères encore que le décor...

J'ai donc décidé, tel Octave — toujours mes lectures! —, de rentrer en moi-même et de ne plus tenir qu'à ce qui s'y trouve.

Mais abomination : mon intérieur change encore plus vite que ce qui m'entoure! Mes sentiments évoluent, mes conceptions, mes convictions se transforment — je ne parle même pas de mes idées politiques! Ce que je pense du monde, de l'amour, de la haine, de la paix, de la guerre, des hommes, des femmes, des livres, tout s'infléchit, se contredit, se disperse...

C'est encore les livres qui résistent le mieux à ce chambardement accéléré. Je continue à considérer *Madame Bovary* comme « mon » chef-d'œuvre, qui me donne toujours le même plaisir.

La musique aussi tient le coup, bien qu'elle varie avec les interprétations. Quant aux tableaux, ils s'abîment, se font voler, disparaissent.

Les monuments, pis encore.

J'ai plaisir à penser que ceux du Yémen, par exemple, enfouis dans le sable du désert, sont momentanément préservés. Pareil pour les bateaux coulés. Mais tout sera exhumé un jour, et disparaîtra.

Sauf *Madame Bovary*.

Ce n'est pas à cause de ce privilège que je me suis mise à écrire, ni dans l'espoir ou l'ambition de fabriquer moi aussi de l'éternel ; mais pour proclamer la suprématie de l'écriture, car elle seule est immatérielle.

Différente d'impression en impression, une œuvre littéraire reste la même, indifférente à son support.

Madame Bovary ne repose même pas sur le souvenir que j'en garde, car si je prends tant de plaisir à relire Flaubert, c'est que, d'une fois sur l'autre, j'ai tout oublié ! L'agencement des paragraphes, la musique des phrases, le choix des mots, et même l'histoire, tout m'est surprise.

Il en est de même — et c'est le miracle qui rend la vie supportable — pour les êtres qu'on aime vraiment. Eux seuls ont ce pouvoir : vous enchanter comme si on les voyait chaque fois pour la première fois.

Aboli le passage du temps !

Si je me permets d'écrire d'elle, c'est qu'elle ne lira probablement pas ce texte : les jours lui sont comptés. (Comme s'ils ne l'étaient pas pour chacun d'entre nous, et même pour ce siècle finissant : voir le calendrier lumineux de la tour Eiffel.) Couchée dans le blanc de ses draps et de son appartement fraîchement repeint, décharnée, pâle, couleur d'os, il n'y a que ses yeux à remuer encore un peu, ses mains transparentes, sa belle bouche entrouverte.

Maman aussi, nonagénaire, avait gardé cette bouche pulpeuse, détendue, sensuelle. (Pas besoin de collagène pour ces deux-là !)

Elle et moi avons échangé des paroles justes et vraies sur la vie, la mort, le temps. Des paroles légères, vite interrompues, comme en profèrent les humains quand il s'agit des mystères de l'existence, dont ils ignorent tout. Passant tranquillement des fleurs épanouies, sur son balcon, à la façon dont elle tient à assurer l'avenir de ses enfants. Avec la même facilité, nous avons évoqué donation-partage, indivision, transfusion, perfusion, nourriture — presque plus rien pour elle —, roses et géraniums. Et même un chat roux dont elle aurait eu envie. (Le mien est mort chez elle, autrefois, par accident, et elle souhaiterait le retrouver dans un autre, en somme le « recommencer »...)

Je lui avais apporté un T-shirt blanc, facile à porter au lit, et elle me dit : « Je suis ravie. »

Le mot « ravie » me rend songeuse.

Dans un état terminal, on peut encore être *ravi* par un objet qui, sauf anicroche au lavage, vous survivra ? Et qui le portera dans l'avenir ? De même que ses bagues, déposées sur sa table de nuit.

Étrangement, j'ai eu envie d'en prendre une comme on adopte une orpheline, pour qu'elle ne reste pas seule, après. Puis je me suis dit : « Ça ne va pas, la tête ! C'est à *elle* ! »

Il n'y a qu'un sujet que nous n'avons pas abordé : allons-nous nous revoir ? Possible que non : l'été approche, amenant la dispersion des gens dits « normaux ». Mais Joëlle et moi n'avons pas envisagé d'avenir ; il n'allait pas plus loin que maintenant.

Ce qui rend ces minutes intenses, possibles, vivables, c'est l'amour. Celui que je ressens pour elle et celui aussi qu'elle m'accorde, ne serait-ce que par la confiance dont témoignent ses propos.

Dans la conviction que je peux la comprendre...

Je m'aventure alors à lui demander sur un ton calme : « Que penses-tu, dans ton fin fond ? »

Mon amie marque un temps, à la recherche de sa vérité, et quand elle reprend la parole, sa voix n'exprime ni peur ni angoisse, mais, au contraire, de l'espoir. Peut-être va-t-elle aller mieux, surmonter cette nouvelle « poussée » de son mal. Sinon...

Nous nous quittons sur ce « sinon ».

Joëlle tient à se lever, et, accompagnée par elle, qui n'est plus que vêtements accrochés au vide, je reprends le fil de mes rendez-vous de travail.

Heureuse et même comblée, parce que l'amour est en moi, tangible. Un amour fondé sur la mémoire et qui ne pourrait exister sans elle.

Nous n'avions plus le temps, mon amie et moi, de nous forger des souvenirs. Qu'importait : ils étaient tous là, implicites, sans qu'il fût besoin de les évoquer : notre première rencontre, nos discussions, nos confidences — d'accablants chagrins d'amour des deux côtés ! —, nos séjours ensemble, chez moi dans le Limousin, chez elle dans le Lot, ou dans cette propriété qu'elle a près de Montoire. Que d'échanges devant le feu de bois, dans le silence de cette campagne désormais désertée ! Sauf par les oiseaux, les animaux des bois, et jusqu'à de jolis hérissons.

Tout ce que nous avions vécu ensemble, tout ce que je sais d'elle et qu'elle sait de moi, mots, gestes, images, est le socle — inamovible — sur lequel s'est appuyée notre entrevue.

Nous étions entièrement dans le présent de la mémoire.

Un mot, *présent*, qui est également à prendre dans son sens de « cadeau ».

« Souviens-toi, tu l'as très bien passé, la dernière fois... » Un père, qui apprend à son fils à franchir un obstacle, que ce soit à cheval, pour un examen, un concours, en appelle à sa mémoire. Tente de lui faire se remémorer les gestes de l'apprentissage et de la réussite. La mémoire est alors l'alliée capitale : ce qui a marché une fois doit marcher encore et toujours, et même progresser.

Et il en va en effet ainsi tout un moment : celui de la croissance.

Puis vient l'âge — inévitable — de la décadence.

D'abord physique. Un beau matin, on découvre qu'on n'arrive plus à porter tel poids, à monter les escaliers quatre à quatre... « Pourtant, hier — le mois dernier, l'année précédente —, je le faisais encore !... »

Douloureuse devient la mémoire, cruel le souvenir d'exploits passés, désormais impossibles. Parfois très jeune : les joueurs de tennis, les athlètes, les danseurs, les petites gymnastes sont vite condamnés à évoquer leurs grands moments sans pouvoir les reproduire. Quelle n'est pas leur mélancolie à la vision des cassettes où sont enregistrés leurs instants de gloire ! Pour eux, pas question d'oubli, comme c'est heureusement le cas pour la plupart d'entre nous.

Car, dans le « civil », on ne tient pas à se rappeler qu'on a été fringant, lève-tôt, escaladeur, grimpeur, coureur, et qu'on faisait ses dix-huit trous d'une traite. Se contenter de (presque) renouveler aujourd'hui la performance d'hier est déjà bien beau.

Nul n'aime non plus entendre rabâcher : « C'est bien triste, mon pauvre petit, mais je n'arrive plus à monter les trois marches du perron sans ma canne... » Épargnez-nous vos regrets, nous tâcherons de vous éviter les nôtres !

Mais rendre la mémoire muette ne suffit pas à la supprimer : elle supplicie en douce...

Autrefois, se dit-on, on me reluquait, où que j'aille, et les prétendants ne manquaient pas. Quand j'occupais tel poste, à mon arrivée on déroulait le tapis rouge. J'avais ma femme (mon mari), tous les miens autour de moi. Maintenant, je suis seul(e)...

La mémoire est persécutrice, elle n'arrête pas de représenter des images du passé en plus vif, en plus ardent, et même embellies !

En réalité, tout ne se passait pas si bien que ça, rappelez-vous !

« Mais si, il y a les photos, voyez ce sourire que j'avais, ce ventre plat, cette chevelure abondante... Et regardez maintenant : une loque ! »

Faudrait-il renoncer à conserver les images ?

Pourtant, dès l'aube de l'humanité, les hommes traçaient le portrait de leurs guerriers ou de leurs chasseurs en pleine action. Les grands rois multipliaient les effigies d'eux-mêmes pour que la postérité sache qu'ils avaient été magnifiques. Pour que la mémoire de leur gloire soit transmise, leur grandeur célébrée.

Ambigu est le recours à la mémoire. On la hait, on la redoute, mais en même temps on la supplie :

« Apprends aux hommes à venir qui j'ai été : quel combattant, quel prince, quel vivant... »

Lequel d'entre nous n'en fait pas autant ?

Ce que nous cherchons alors, en rameutant les souvenirs de notre brillance passée, c'est à impressionner autrui au point de lui faire négliger le présent. De ne pas s'entendre dire : « Le vieux est devenu gâteux, il raconte toujours Verdun... » (Ou le Front populaire... ou la Libération... ou Mai 68... ou son Goncourt... ou quand il a gagné la course cycliste...)

Quant à nous, le rappel incessant de ses hauts faits par leur auteur déchu nous importune. Cela tient à la différence entre ce qui est rapporté et ce qui est là sous nos yeux. Une fâcheuse prémonition de ce qui nous attend : « Pas possible, ce déchet aurait été un héros ? Et nous, alors, que serons-nous à son âge ? »

Si l'enfance est heureuse, n'est-ce pas parce qu'elle s'éprouve comme différente : convaincue qu'elle ne vieillira pas ? Je l'ai pensé, moi aussi : il y aurait les « vieux », manifestement d'une autre espèce, et les « jeunes » dont les enfants font pour toujours partie.

Qu'on se rassure : cette intuition est vraie ! Mon enfance continue à couler en moi, inaltérable...

La mémoire reste à jamais jeune !

Un secteur de ma mémoire — peut-être le plus vaste — est entièrement dévolu à ce que m'apporte celle des autres. On m'a dit, on m'a raconté et j'ai enregistré. Élaborant des images, des scènes, des perceptions à partir de faits que je n'ai ni vus ni vécus. Le marquage est si fort que certaines de ces images transmises par autrui dépassent en vivacité mes souvenirs personnels.

Ainsi, je vois les rives du Bosphore, où je ne suis jamais allée, telles qu'elles étaient à l'époque où mon jeune père, secrétaire d'ambassade à Constantinople, remontait le détroit en bateau à vapeur. Je respire les parfums du jardin de l'ambassade de France, laquelle n'existe plus. (Désormais située à Ankara). À Buenos-Aires où il fut nommé peu après, je dévore à pleines dents, avec le jus qui coule sur mon menton, les énormes steaks argentins qu'on lui mettait dans son assiette dans les restaurants où il se rendait tard dans la nuit après des fêtes en tous genres.

De ma grand-mère je retiens les odeurs du foin coupé, des vaches à l'étable, du sarrau noir porté dans son enfance d'avant le début du siècle.

Plus fort encore — si je puis emprunter cette expression aux magiciens —, lorsque je me promène par exemple dans Saintes, ville où vécurent trois générations de mes pères, à ma perception de la cité se superpose ce qu'elle était du temps de la jeunesse de ma tante, qu'elle m'a si souvent racontée, et aussi de celle de mon arrière-grand-père. Où il y a maintenant un hall des expositions, je vois des vaches, et, superposées à la vision des zones industrielles (si laides à mes yeux), je perçois les fermes d'autrefois, leurs beaux bâtiments de pierre, leurs animaux, leurs princes paysans (presque tous les paysans sont des princes !). Que je me concentre, et j'entre dans ces maisons, je vois la table, les chaises, les instruments de cuisine, la marmite de fonte noire pendue dans l'âtre à une crémaillère. Je goûte la soupe aux poireaux.

De même, grâce et avec mon père, j'ai vécu dans les tranchées de la guerre de 14 : la boue, le froid, les rats, l'attente...

Non je n'oublie rien de ce qu'autrui a pu me raconter. Ces souvenirs-là sont miens. Ils pèsent sur ma vie, influencent mes actes, commandent mes paroles, me rendent plus riche d'images, de sentiments, d'expériences.

Cette mémoire-là est du ressort des mots. Parfois, j'ai vu des photos, des dessins, des cartes géographiques, des films. Mais l'outil capital de la transmission des souvenirs, c'est le verbe.

Si la personne m'est proche, je vis dans l'instant ce qu'elle me relate pour mon propre compte. Ce qui est évoqué s'imprime en moi à tout jamais. À tel point qu'il m'arrive de confondre ce à quoi j'ai réellement assisté et ce qui m'a été seulement rapporté. Car les mots sont surchargés de sens, bourrés de significations. Chacun d'eux est comme un comprimé effervescent : qu'on lui laisse le temps de se dissoudre et c'est un monde en nous qu'il dilate ou exhale.

L'exemple le plus fort étant le poème. Chaque bribe d'un poème fait se déployer une série d'images et de sensations souvent plus puissantes que la réalité et qui ont ce caractère extraordinaire d'être presque identiques pour tous.

Nous aurons des lits pleins d'odeurs légères,
Des divans profonds comme des tombeaux...

Si l'on pouvait projeter les images que suscitent ces vers de Baudelaire, je crois que nous trouverions à peu près les mêmes chez chacun.

Ce qui nous permet de communiquer

entre nous de façon parfois si intime, ce sont les mots, grâce à ce qu'ils charrient de souvenirs.

Lorsque je parle de ma campagne ou de mes provinces avec des gens de mon âge, nous nous replongeons dans des images similaires. Avec des personnes d'une culture différente — américaine, arabe, asiatique —, le miracle est que ces « étrangers » arrivent à nous faire pénétrer dans des mondes où nous n'avons pas du tout vécu. Je n'ai pas été enfant à Alger, à Tokyo ni dans l'Idaho; pourtant, en écoutant mes amis, je pénètre, éblouie, dans leur passé qui devient en partie le mien.

De même, que d'heures passées à courir en imagination sur les plages de Bretagne avec un homme que je ne connais que d'aujourd'hui, à ramasser des pétoncles, des algues, des éclats de coquillages, à patauger dans les flaques, à contempler la mer argentée — tout ce qu'il faisait lorsqu'il était enfant. Cet homme transmet le vécu de son être au mien, tel un neurotransmetteur communique une information d'une cellule nerveuse à l'autre. « Le courant passe entre ces deux-là », observe le sens commun, si juste dans ses formulations.

De même, les biographes remplis d'amour pour leur sujet rédigent des biographies si vivantes que le lecteur se demande si l'auteur n'aurait pas mystérieusement vécu à cette époque reculée. Ou certains anthropologues, par amour de leur sujet, ont même une pénétration quasi surnaturelle de tel ou tel univers primitif.

Ce transport imaginaire dans le vécu d'autrui peut se révéler douloureux. Par souvenirs interposés, j'ai vécu des chagrins inoubliables, inoubliés. Lesquels, quoique communiqués en très peu de mots, n'en finissent pas d'attrister mon présent... La mort de ma grand-mère paternelle à trente-cinq ans : je la porte en moi avec tout ce que je sais et ne sais pas de sa vie... La mort d'une de mes tantes qui avait douze ans, de mon oncle à vingt ans, eux aussi inconnus de moi, dont le chagrin de ma grand-mère, pourtant contenu, a fait pour moi des compagnons de vie : Charles, Emma, vous avez été plus que de passage dans ma mémoire, vous faites partie de sa substance...

Les peines des uns et des autres : Jérôme à qui on a retiré sans le lui dire, puis jeté son ours en peluche, quand il était petit, et qui l'a cherché, lui aussi sans rien dire, pendant des jours. Louis qui fut abandonné à sa naissance, seul au monde trois jours durant — quel trou à tout jamais dans sa vie ! Et donc dans la mienne. Dominique, d'autres encore, qui m'ont conté comme au hasard, par bribes, les insondables douleurs de leur enfance.

Une civilisation, sans doute est-ce cela :

tous ces « colis » du passé que nous accep-
tons d'assumer du fait d'autrui, à sa place
s'il n'est plus là.

N'est-il pas étrange que les chagrins de
mon père disparu — qui ne les ressent
donc plus — continuent ainsi de vivre en
moi?

On peut refuser — beaucoup de gens le
font — de reprendre à son compte la
mémoire des autres. « Un détail de l'histoire! » disent-ils pour justifier leur indifférence. Mais il est à craindre que ces souvenirs refusés ou refoulés continuent de
travailler, parfois de pourrir dans l'inconscient, empoisonnant le présent. Mieux
vaut les accepter et s'en servir — ne
serait-ce que pour écrire...

La mémoire, notre mémoire, vaste
comme l'humanité, n'est-elle pas le meilleur de nous-même? La floraison dont
nous faisons notre miel?

Et si la mémoire était l'ennemie de l'amour? La fin du désir, que chaque répétition affadit au lieu de concourir à le perpétuer?

C'est ce qui m'est venu à l'esprit en goûtant pour la première fois d'un médicament si amer que j'ai cru devoir y renoncer : jamais je ne pourrais avaler une telle potion trois fois par jour! Et de me rincer la bouche. Puis, par obéissance au diktat médical, j'y suis retournée : c'était toujours aussi mauvais, mais moins intolérable : la preuve, je ne me suis plus gargarisée. Et, de prise en prise, j'ai moins fait la grimace. Maintenant, j'absorbe le remède sans plus y prêter attention. Je m'y suis habituée ou adaptée, comme on voudra.

En l'occurrence, c'est un bien.

Mais quand il s'agit de caresses! Le premier baiser, toujours, vous bouleverse. Le deuxième est déjà attendu. Quand on en arrive à ne plus pouvoir les compter, cela n'abolit pas l'amour entre deux êtres, mais le trouble n'y est plus. Le corps, qui s'est fait à l'approche de l'autre — comme moi à ma potion — ne sursaute pas... Tant mieux ! Comment vivre en permanence à côté de quelqu'un dont le seul contact vous met en transe ? Notre organisme, fort sage, fait en sorte que l'excitation s'apaise, que le cœur se calme, la vigilance aussi... Le sommeil à deux devient possible : la première nuit, on n'a pas fermé l'œil une seconde ; à peine quelques heures la suivante... Maintenant, on pionce en bonne inconscience, blottis l'un contre l'autre ! Divin.

Mais le désir ?

Au bout de trois cent soixante-deux nuits multipliées par dix ou par vingt, il est comme écrasé, éradiqué. On ne peut désirer que ce qui vous surprend, vous provoque, vous « scie ». Comme dit le vocabulaire amoureux : « Tu m'affoles ! » C'est rare qu'un époux, rodé à la constante présence au lit de sa moitié, lui lance encore ce brûlot.

Il aspire, pour s'enflammer à nouveau, à ce que la carte du Tendre nomme « la divine surprise » ! Quelque inconnue...

La faute à qui ?

À la mémoire qui s'est mise en quatre pour calmer le jeu. Rétablir l'ordre parmi nos sens.

Afin de nous rendre à nouveau disponibles pour nos affaires, nos occupations, éventuellement une autre espèce d'aventure.

Le marin ne bronche plus dans la tempête. Ce qui le rend libre pour prendre le contrôle de l'embarcation en péril.

L'amant ne tremble plus à l'apparition de l'aimée, il va pouvoir s'occuper de sa situation, se préparer à devenir père.

Sinon, pour le marin comme pour le chef de famille, ce serait bientôt le naufrage.

Prudente, la mémoire calfeutre le désir, le met en veilleuse, l'encoconne : « Cette sensation-là, tu la connais, pas besoin de t'en faire, tu la maîtrises ! Passe à autre chose ! »

Vu sous cet angle, dire à sa maîtresse : « Je ne t'oublie pas » peut être considéré comme une erreur. Il siérait au contraire d'assurer à la bien-aimée qu'on ne cesse pas de l'oublier. Ainsi pourrait-elle se présenter comme neuve aux yeux de la mémoire. Éternellement surprenante. Encore et toujours à conquérir.

Une femme non mémorisée.

Vierge, en somme.

La mémoire est-elle vraiment l'ennemie de l'amour?

J'ai envie de nuancer.

En fait, elle est son réservoir.

Nous sommes issus de la fusion amoureuse, et notre être ne peut l'oublier.

S'il arrive que des enfants non désirés soient conçus, c'est dans la conscience de la mère qu'a lieu leur rejet; le corps de la femme, pour sa part, a accepté le fœtus, l'a nourri, a fait en sorte qu'il se développe. Sinon, le corps porteur n'en veut pas, c'est l'avortement spontané.

Tout enfant qui arrive vivant au monde est fils ou fille de cet amour organique que lui a dispensé le ventre maternel. Il va continuer à le rechercher toute sa vie et jusqu'à l'instant de sa mort où tant d'entre nous murmurent soudain : « Maman! »

Au moment ultime, c'est un effet de mémoire qui nous rend si avides d'un retour à la fusion première. Quand tout encore n'était qu'extase. (Ou presque : il existe des douleurs fœtales : manque de ci ou de ça, compressions...) Un tel état édénique doit pouvoir se récupérer, se répéter. Grâce à la rencontre avec quelque autre qui fait alors office de substitut du corps maternel.

Certains êtres s'aiment ainsi au premier regard : ce qu'on nomme le coup de foudre. Mieux encore : sans s'être vus, à partir d'une photo, d'un contact dans l'obscurité. Il arrive même que l'attraction se produise alors qu'on se tient encore à distance. « J'ai senti comme une chaleur dans mon dos, m'a-t-on confié. Je me suis retourné : c'était l'amour de ma vie qui venait d'apparaître... »

Qui préside à ces retrouvailles, sinon la mémoire ?

La même force incontrôlable qui dirige le spermatozoïde vers l'ovule, le pollen vers le pistil, le mâle vers la femelle ?

Ce qu'on appelle l'instinct, qui est la mémoire de l'espèce.

Nul n'échappe à sa puissance, et qui joue au cynique, à l'esprit fort, au misanthrope, au désespéré, lutte dérisoirement contre le raz de marée universel de la Vie.

La force d'attraction qui régit le mouvement des astres est un phénomène du même ordre. Un corps céleste attire un autre corps céleste du fait qu'au tout début des temps, ces corps-là ne faisaient qu'un.

La mémoire — et, pour les astrophysiciens modernes, la frontière entre le vivant et l'inanimé n'existe peut-être pas — nous ramène vers l'amont, là où se situerait le nirvana. Toutes les religions ont leur paradis qu'elles projettent dans l'avenir, comme but à atteindre, joie promise après la mort. Mais d'où viendrait que nous puissions l'imaginer, y aspirer, si ce n'est que nous l'avons déjà connu ? Dans une autre vie, un autre monde dont quelque chose en nous se souvient.

On s'attendrit sur ses souvenirs d'enfance : c'était le bon temps ! Alors que... pas toujours ! En fait, derrière ces images pieusement mémorisées, il y a le souvenir oublié, refoulé d'un autre bonheur. Celui de la joie existentielle. C'est elle qui entretient notre envie de vivre dans la conviction qu'on va finir par la rejoindre.

Cette formidable poussée vers l'avant nous est, comme de juste, communiquée de l'arrière. Depuis la mémoire.

En quelque sorte, on vit par cœur.

> *La mémoire est un temple où de vivants piliers*
> *Laissent parfois sortir de confuses paroles...*

Pour illustrer le poème de Baudelaire, mes piliers — puis-je les dire vivants ? — consistent souvent en des riens : une paire de lunettes, un parfum, une couleur, hier un petit porte-monnaie en peau de chamois retrouvé au fond du tiroir d'une vieille commode. Ces vestiges me restituent une émotion. Car le retour de mémoire — comme on dit le « retour d'âge » — plonge aussitôt dans l'émotion.

Cela se manifeste par de la peur, de l'angoisse, de la fureur, de la panique ; pour moi, c'est presque toujours de la tendresse. Je songe à mes disparus, morts ou vivants, dont je ne possède plus que des bribes. Objets, paroles à demi diluées, décors changeants, car tout, de la nature aux œuvres humaines, évolue si vite...

En ces lieux, à cette date, des années auparavant, nous avons vécu des instants inoubliables — la preuve en est que je m'en souviens, alors qu'à l'époque je les croyais destinés à s'abîmer dans l'oubli.

Or la mémoire, notre amie mémoire, trompe, déguise, triche. La mémoire fait des blagues, joue à travestir, se montre sournoise, inventive, incertaine.

Je l'ai dit : souvent, je me souviens du lieu et de la « pièce » représentée — si je puis comparer à du théâtre des échanges entre amants ou amis —, mais je ne me rappelle plus le nom des « acteurs ». Leur identité, leurs visages, je les ai oubliés.

En revanche, ce qui fut vécu, probablement parce qu'il s'agissait de la mise en lumière d'une partie de moi jusque-là méconnue, s'est inscrit d'une façon indélébile. Et l'émotion alors éprouvée réapparaît à l'occasion.

Mais c'est pour me faire souffrir parfois jusqu'au supplice : faut-il donc tout perdre de ce qu'on aime ?

Mais non, tout n'est pas perdu de ce que tu as vécu, puisque tu t'en souviens avec une allégresse qui te permet de le revivre et d'en écrire !

Et même de le recommencer, ce passé : il arrive qu'on retombe dans les mêmes bras, qu'on remette ses pas dans ses pas...

Guidé par le fil du souvenir.

D'où l'inexprimable douleur de ceux qui perdent cliniquement la mémoire : ils n'ont plus le moyen de rien revivre de ce qui leur fut cher. Ni par la pensée, ni pour de bon. Ils s'éprouvent comme un coquillage qu'on a nettoyé de tout ce qu'il avait de vivant : vidés d'eux-mêmes.

Et les animaux ? Qu'en est-il de leur mémoire ? Ils n'ont pas les moyens, puisqu'ils n'ont pas la parole, de faire allusion à un souvenir. Mais j'ai souvent remarqué qu'un chien lève la tête, puis avance d'un pas — d'une patte — vers une silhouette qui lui évoque un absent qu'il aime ou a aimé. Lorsqu'il s'aperçoit qu'il s'est trompé, il se détourne, « mine de rien ». Déception ou vexation ?

À moi de deviner.

Parfois, exprès, à sa place, je prononce le nom :

« Tu as cru que c'était Louis. » Ou Françoise. Ou Monica. Le chien alors me regarde ; il est content : il a été entendu.

Quant aux lieux, quel bonheur pour lui d'y être ramené ! (Il faut qu'il y soit pour de bon : les photos, les films, le « réel » sans odeurs ne le touchent pas !) Le chien entreprend alors de faire à toute vitesse le tour des pièces de la maison, va droit au Frigidaire — toujours là, l'ami ! —, puis se précipite aux endroits où il a eu — a peut-être encore — un ami chien. Ou alors c'est un chat que l'on a coursé près de cet arbre, dans ce buisson. Ou un mulot qu'il a attrapé et tué, avant de se faire « attraper » lui-même pour meurtre...

Les chiens rejouent les instants de leur vie de chien qu'ils ont aimés ou qui les ont marqués. (La visite au vétérinaire!) Et leur bonheur est encore plus complet quand leur humain parvient à interpréter leur manège. Accepte de partager leur allégresse. Ou leurs craintes.

Il m'arrive d'écrire à des amis perdus de fréquentation pour leur avouer : « Je suis retournée en Sardaigne où nous avions été ensemble. » Ou à Londres, ou au jardin du Luxembourg, ou n'importe où. « Et c'était comme si vous étiez là ! »

Parfois, je voudrais dire à certains hommes : « Tu sais, je viens de faire l'amour avec un garçon qui a l'âge que tu avais quand nous l'avons fait ensemble — et j'ai bien pensé à toi ! »

Je peux aussi avoir une mémoire de chienne.

Je n'ai jamais pu parler à Maman. Je veux dire « en vérité ». Toute parole qui brisait son fantasme la mettait dans un état d'angoisse qui m'était insupportable.

Quel était au juste le fantasme de Maman ?

Que vivre entre femmes, en famille, était un bonheur suffisant. Entier. Qu'il n'était nul besoin de sortir de ce cocon, de cette coquille, de cet « œuf »...

Inceste ? Tout est inceste si l'on va par là. Celui de Maman se satisfaisait de nous avoir toutes à table autour d'elle — de préférence dans un grand restaurant —, à nous pourlécher les doigts ensemble.

« Que c'est bon ! » disait Maman.

Quoi ? Eh bien, la nourriture, celle qu'elle « payait » pour nous avec l'argent qu'elle gagnait seule. Mais, surtout, le fait que nous étions unies par le ventre pour l'éternité.

À quoi bon un homme ?

Le drame que j'ai déclenché lorsque j'ai

dit que je me mariais, autrement dit que j'avais trouvé un compagnon mâle !... Je me suis couchée deux jours durant pour pleurer. Puis, Maman — infatigable « dévoreuse » — ayant fait le tour de mon fiancé, Jean-Jacques, se l'est « incorporé » comme faisant partie de son œuf. Et elle s'est apaisée.

Ma sœur n'est jamais parvenue jusque-là ; elle ne s'est pas échappée. Elle est restée seule avec Maman. À l'intérieur de Maman.

Étais-je plus heureuse d'avoir réussi à me marier ? Mais est-il sûr que j'étais pour autant détachée de Maman ? Mon appartement n'était pas loin de sa maison, mes meubles m'avaient été donnés par elle. Elle continuait de faire toutes mes robes, comme elle avait fait faire par ses ateliers mes langes, ma robe de mariée, mon trousseau, jusqu'à la chemise de nuit pour mes noces.

Maman était entre ma peau et moi.

Maman ne me quittait jamais.

On peut survivre, certes, mais dans quelle angoisse !

C'est le père, paraît-il, qui doit vous séparer de « Maman » par sa parole. Le mien fut expulsé lorsque j'eus sept ans. Il me l'a formulé ainsi : « Ta mère me chasse... »

Pour ce qui est de mon mari, je me rappelle qu'ayant voulu s'occuper des affaires de Maman, qui allaient mal, il finit par y

160

renoncer : « Il n'y a rien à faire avec ta mère ! »

J'ai longtemps cru que c'était à cause de sa mère « en lui » que nous nous étions finalement séparés. Et si c'était à cause de ma mère « en moi » ?

Sitôt divorcée, je retournai souvent chez elle. Plus tard, quand ma mère fut hébergée chez ma sœur, à cinq cents mètres de chez moi, j'y allais dîner presque tous les soirs. J'emmenais Maman en vacances. C'est au cours d'un de nos tête-à-tête, à l'île de Ré, que j'écrivis mon premier roman, *Un été sans histoire*.

Maman avait commencé de perdre la mémoire. Sa maison de couture avait fait faillite. La publication de mon livre lui plut infiniment. Elle en conservait un exemplaire sur son lit, prétendant le lire et le relire. En fait, elle le « tenait », ce qui semblait la rassurer : un livre, c'est indestructible, contrairement au reste.

Je suis heureuse de lui avoir fait ce cadeau.

Puisque je ne lui ai pas donné de petits-enfants.

Car si j'avais eu un enfant, c'eût été pour l'offrir à ma mère, ce qu'a fait ma sœur avec sa fille.

Mais quelque chose en moi ne l'a pas voulu, une stérilité s'est établie. « Tu l'as fait exprès ! », m'a dit Dolto qui ne mâchait pas ses mots ni ses interprétations.

Peut-être, auteur de ma propre stérilité,

161

en ai-je tiré une satisfaction : mon inconscient (mon corps) a fait ce qu'il fallait pour ne pas perpétuer un malheur... Pour le transmuer en cette joie qu'il m'est donné de ressentir aujourd'hui !

Mais non, ce n'est pas très compliqué de s'auto-mutiler ! Comme Maman se privant de sa mémoire dans le but — j'en suis désormais convaincue — de ne plus « trop » souffrir.

La mémoire ne serait-elle pas au départ une pulsion qu'il y aurait grand intérêt à éduquer ? Comme on s'y emploie pour les pulsions de gourmandise ou la pulsion sexuelle ?

Dans les ouvrages sur le savoir-vivre en société, il serait en tout cas utile de consacrer un chapitre au savoir-oublier. Quoi ? Mais tout ce qu'on vous a dit, appris des gens, tout ce qu'on sait sur les uns et les autres et qui n'est pas à leur avantage. Car la mémoire, cette coquine, a une fâcheuse propension à enregistrer et à retenir en priorité ce qui est défavorable à autrui.

Pour le ressortir au mauvais moment, c'est-à-dire à tout propos.

On n'oublie jamais qu'Untel est né bâtard, que Cécile a couché avec Paul avant qu'il n'épouse Germaine — est-ce ce qui explique qu'il revienne l'honorer ? —, qu'autrefois Michèle a fait des ménages, qu'Henri a un râtelier, que Maurice, qui fait tant le fendant, a dû se présenter deux fois à sa licence et trois fois à l'agrégation (qu'il prétend avoir mais n'a pas : c'est grand-mère qui s'en souvient et qui me l'a dit...).

On n'oublie pas non plus que le député est fils de gendarme ou d'épicier, que le père du procureur a fait de la prison pour marché noir durant l'Occupation, qu'Untel a été mis en examen pour fausses factures, qu'un autre a eu trois épouses, dont une folle... Et les cures de désintoxication alcoolique, et les procès en famille, et les coups et blessures entre époux, et la drogue — on n'oublie rien de rien !

Ce qui n'est pas gentil de la part de dame Mémoire.

À croire qu'elle tient un énorme livre de comptes, comme par hasard dans le coin le plus résistant de ses neurones où rien, jamais, ne s'efface. Ou alors en tout dernier lieu, quand on en est à ne plus reconnaître personne.

J'ai dit comment ma mère, souffrant d'Alzheimer, parlant à peine, ne sachant plus où elle était et prenant les uns pour les autres, m'a soudain lancé : « Toi, ton drame, c'est de ne pas avoir eu d'enfants ! »

Comme si cet handicap était tout ce qui caractérisait sa fille aux yeux d'une mère bien-aimante et bien-aimée...

Je sortais de sa chambre avec un plateau et j'en suis restée bouche bée, figée sur place. C'est donc à cela que lui servaient ses restes de mémoire : à me ramener à ma stérilité, en quelque sorte à ma faille, à mon impuissance ?

Eh bien, qu'elle la perde tout à fait, sa mémoire, et qu'on n'en parle plus ! Ni de moi, ni de ma mère, ni de rien.

Oui, ce jour-là, j'ai maudit la mémoire pour ce rôle de censeur qu'elle jouait, et qui, en l'occurrence, était peut-être moins de réprobation ou de condamnation, comme j'ai voulu le croire sur l'instant, que de classement.

Toute la mémoire du monde, s'intitule un film d'Alain Resnais à la gloire de la gigantesque institution qu'était notre Bibliothèque nationale. L'humanité y apparaît semblable à une poule couveuse assise sur ses traditions, quand elles sont orales, sur ses archives dès qu'elles sont écrites. Cherchant sans cesse à en déterrer, à en déchiffrer d'autres — jusqu'à ce qu'elle sache tout. Tout sur quoi ? Mais sur tout le monde !

Tout savoir sur autrui : ne serait-ce pas le rêve premier qui nous habite, sur le plan collectif comme à notre infime niveau individuel ?

Il n'est que de voir à quel rythme d'enfer s'arrachent les hebdomadaires consacrés aux ragots. Un phénomène qui prospère dans toutes les langues. Il en va de même pour les ouvrages qui prétendent raconter la vie des célébrités du moment. Même si l'on est convaincu qu'il ne s'agit là que d'inventions plus ou moins calomnieuses que leurs malheureuses victimes s'escriment inutilement à nier et à faire condamner, la vente en est fructueuse.

Ah, les mémoires de « stars » ! Celles de B.B., les souvenirs du bon docteur Gubler, les confidences de l'ex-amant ou du valet de chambre de lady Diana, celles de Monica Lewinsky... Quels délices pour les éditeurs ! On en veut, on en redemande. S'il n'y en a pas, fabriquez-nous-en, s'il vous plaît, car cela nous démange d'en savoir (d'en croquer ?) plus long.

D'où, aussi, le flot des dénonciations en période de guerre, d'occupation ou de terreur policière. Là, on prétend savoir plus qu'on ne sait réellement, et on plaide le faux pour obtenir le vrai... Souvent, d'ailleurs, c'est le faux qui triomphe — et la mort avec —, car les policiers sont des hommes comme les autres, tout prêts à croire le pire sur un simple témoignage, une fausse preuve...

Car c'est le pire que l'on traque dans la vie d'autrui.

En tout cas, ce qui serait contraire aux lois du moment et aux bonnes mœurs de l'époque : le non-conformisme, l'exception, le marginalisme, la singularité — en somme, la liberté... Liberté d'être, d'agir, de penser. Tout ce qui apparaît comme un dérapage par rapport aux normes admises doit être sanctionné et, pour y parvenir, doit être su.

Il suffit de voir avec quelle activité, dès

que la technologie le permet, on établit des fichiers électroniques sur lesquels tout ce qui concerne chacun, de la couleur de ses yeux à ses aventures amoureuses, ses gains, ses voyages, ses impôts, ses maladies, ses résidences, ses manies, ses propos, ses écrits, etc., doit être minutieusement consigné et répertorié.

Les associations pour la liberté individuelle ont beau fulminer, s'opposer, le processus *Big Brother* s'étend en douce, le réseau développe ses métastases; bientôt, un immense filet de renseignements risque d'emprisonner tout un chacun. Fausses, bien sûr, toutes ces informations, car il est illusoire de s'imaginer que, du carnet de santé à la fiche d'état civil, des appartenances aux inclinations, des velléités aux agissements, on parvienne à ne rassembler que la vérité vraie sur quelqu'un.

Les erreurs sont inévitables, statistiquement mais aussi parce que les déclarations ne sont dans la plupart des cas ni vérifiées, ni vérifiables.

Heureusement, car cette accumulation — sur chacun des individus ayant vu le jour sur cette planète — de faits mémorisables et artificiellement mémorisés aboutira à édifier un tel himalaya de fatras qu'il s'effondrera de lui-même. On n'y *croira* plus.

Tout est tellement sujet à caution! Moi, par exemple, dont la vie a suivi un cours plutôt paisible : eh bien, je ne porte pas mon premier prénom — source de confusion à la Sécurité sociale et dans d'autres administrations —, et je ne suis pas née à la date à laquelle mon père m'a déclarée, mais quelques jours auparavant. Ah! bien fait pour *Big Brother*! Seul le lieu de naissance qui m'est attribué est exact, mais personne ne veut le croire, car cela ne « colle » pas du tout avec ma personnalité...

Si c'est comme ça pour moi, vous pensez pour les autres! Les nomades, les immigrés, les S.D.F., les nés sous tous les X... et les champions, par goût, des falsifications d'identité et de l'effacement des traces...

Non, la mémoire artificielle, mise sur fiches sur ouï-dire et d'après des faits colportés, n'est pas fiable. Mieux vaut encore l'autre, la biologique, la sélective, la romanesque.

Celle à laquelle on fait appel quand on entreprend une analyse.

La mémoire biodégradable, réinventée chaque fois qu'on fait appel à elle, la mémoire *ad usum delphini*, suscitée pour les besoins de la (bonne) cause : s'aider soi-même à survivre, envers et contre sa mémoire!

Je m'étonne de découvrir que chacun prend sa mémoire comme un fait acquis. On aurait une bonne ou une mauvaise mémoire dont on parle comme de sa bonne ou mauvaise vue : il s'agit de s'en plaindre, mais surtout de s'en accommoder !

Avec admiration pour certains qui ont, dit-on, une mémoire « terrible », d'éléphant, ce qui expliquerait tous leurs succès, professionnels et dans la vie.

Les « petites mémoires » se trouvant justifiées de n'obtenir qu'une faible réussite.

Or, ma propre expérience est que la mémoire se dresse. Je dirais même : se mate. (Et non pas seulement s'entretient, comme prétendent les gériatres.) On peut s'obliger à se souvenir de ce qui rebute et qu'on a négligé.

Pour moi, ce sont les chiffres. J'ai longtemps considéré les chiffres comme barbants, pour ne pas dire « lettre morte ». Je ne retenais aucune date, ce qui n'arrangeait pas mes notes d'histoire. Aucun numéro, sauf quelques-uns : je peux encore citer les numéros de téléphone de ma petite enfance — chez Maman, chez Papa, chez les beaux-parents —, sans compter tous les numéros de rue des maisons qui ont compté pour moi... J'en ai conclu qu'il m'était possible de retenir des chiffres et je me suis exercée à en retenir énormément : numéros de téléphone, de cartes de crédit, de codes, de comptes bancaires, matricules de voitures...

Fière de ce surcroît de mémoire, je me suis dès lors appliquée à me rappeler tous les chiffres qu'on me fournit dans une conversation ou une autre. Cela va de l'âge des gens à la date de naissance d'un enfant, aux chiffres de tirages de mes livres, des pourcentages, des quotas, des cours de bourse, des données démographiques, des résultats électoraux...

J'ai désormais tendance à oublier les noms et à conserver les chiffres qui passent à ma portée.

Mais qu'est-ce que ça veut dire : faire un effort de mémoire ?

Se concentrer, se mobiliser, se fatiguer les méninges ? En fait, ce qui se passe dans le cerveau nous est impénétrable.

En grande partie affectif : on retient ce qui touche, blesse, concerne nos émois. Les dates de naissance ou de décès des êtres chers sont ineffaçables.

Je voudrais les oublier, mais je ne peux pas.

Les psychanalystes prétendent que nous avons, gravées dans notre inconscient, toutes les dates familiales, au point que ce n'est pas un hasard si nous nous attristons, nous blessons, voire décédons un jour plutôt qu'un autre... Là aussi, on vit — ou meurt — de mémoire !

De temps à autre, je me récite le chapelet de mes dates clés : je me suis mariée tel jour de telle année, j'ai divorcé en telle autre, j'ai rencontré un homme qui a compté à telle date, la rupture a eu lieu à telle autre, etc.

Repères, balises, amers ?

Comme si la mémoire avait besoin de remâcher, ruminer.

Pour n'en faire finalement qu'à sa tête.

Oubliant systématiquement les mêmes choses. Ainsi, mon père s'appelait Robert : chaque fois qu'un homme se prénomme de même, je n'arrive pas à m'en souvenir ! Tant et si bien que lorsque je ne retrouve pas le prénom de quelqu'un, je me dis : « Ah oui, il doit s'appeler Robert... »

Pareil pour celui des épouses. Pour peu qu'un homme me plaise, impossible d'enregistrer le prénom de sa femme. Une amie me taquine à ce propos et me fournit à l'avance, avant une réception, l'information dont le manque ou l'oubli risque de me mettre dans l'embarras.

Comme si ma mémoire — inconsciente — cherchait à satisfaire avant tout mes désirs et mes passions. Comme si oublier équivalait à « supprimer » !

Ce serait bien beau ! Pourtant, les tyrans y croient, qui interdisent de prononcer le nom d'un ennemi, le suppriment dans les livres, bannissent les inscriptions ou mentions relatives à un événement qui leur déplaît : une trahison, la perte d'une bataille...

Les psychanalystes — ces archéologues de la mémoire — prétendent de leur côté que ce qui nous a le plus traumatisé est oublié. Refoulé. Jeté aux oubliettes, comme font de leurs ennemis les rois ! Et que tout leur travail avec nous consiste à faire réapparaître ces souvenirs enfouis. Traces, vestiges, cicatrices...

L'extraordinaire est la façon dont la mémoire se maintient sous forme de signes ou de sensations liées aux couleurs, aux sons, de ce que Lacan appelait le « signifiant ». Y renvoyant sous forme de cauchemars, d'hallucinations, de tics, de souffrances éprouvées sans cause apparente...

Une de mes amies souffre de panique. Au moment des crises, sa mémoire d'un passé oublié la met dans un état de transe dont elle ne peut sortir qu'en abolissant à l'aide de pilules les effets somatiques. Mais pour ce qui est à l'origine de sa panique, sa mémoire consciente, butée, ne veut pas le recracher !

La mémoire n'est pas toujours notre alliée, elle peut même devenir notre pire ennemie. Pas seulement en cas de névrose, mais tous les jours, à tout instant.

Il y a des heures où j'ai le sentiment de traîner derrière moi une série de casseroles : des souvenirs qui m'empêchent d'aller le corps souple, les mains libres, vers l'avenir...

Je repère facilement le phénomène chez les autres : à ce qu'ils sont rigides, hésitent à s'engager dans des voies nouvelles.

« Rigides », en fait, n'est pas le mot : ils ressemblent plutôt à des bœufs contraints de tirer derrière eux un trop lourd chargement.

Souvent, on me complimente : « Ce que vous faites jeune ! » Sous-entendu : pour votre âge. Je sais ce qui donne cette impression-là : j'ai si longtemps abandonné mes souvenirs sur les divans et dans les oreilles d'analystes que j'ai dû les décourager de continuer à me persécuter. Ce qui allège le fardeau des ans !

Ceux qui persistent, je leur fais pire : je les écris ! Il m'arrive même — exprès — d'écrire plusieurs fois la même chose dans des livres différents. Mes lecteurs ont dû s'en apercevoir et en voici l'explication ; c'est comme si je répétais à un chien qui me tient par la manche : « Vas-tu me lâcher, sale bête ! »

Libérée de ci ou de ça, je m'attaque alors à un autre de mes poursuivants.

Les psychanalystes — toujours eux ! — affirment que le souvenir, une fois déterré, ressuscité, mis en mots, tombe dans l'oubli.

Ce n'est guère le sentiment que j'ai retiré de leur fréquentation ! Au contraire, tous mes anciens souvenirs, augmentés d'autres plus neufs, sont totalement présents dans ma mémoire. Toutefois, depuis que je les ai « analysés », ils sont rangés en bon ordre, et même étiquetés. Comme une ménagère installe ses pots de confitures dans l'armoire : il y a la fraise, l'abricot, la framboise, le coing... En l'occurrence, ce qui concerne Papa, Maman, la sœur, le mari, les amants, les amis, les chats, les chiens, les maisons, les maladies, les livres...

À chacun son étagère — et sa date !

Quant à savoir ce qu'il y a vraiment dans les pots...

À qui n'a ni fait ni tenté d'analyse — ce que l'on appelle prétentieusement « travail sur soi » —, il est difficile d'expliquer quel jeu constant se tisse dès lors avec la mémoire.

Il me suffit d'y penser pour que surgisse en mon esprit l'image de *drapés*. Le mot m'évoque ce sculpteur, Clessinger, qui consacra une étude à l'art du drapé, ce que signifie pour l'être humain ce jeu, qui remonte à la nuit des temps, avec le tissu. Une façon de garder le contact avec sa première peau tout en se revêtant d'une autre ?

C'est constamment que des « flashes » me viennent du passé ! Ainsi, quel regard on m'a jeté, pas plus tard qu'hier, lorsque j'ai interrompu la conversation pour dire que je venais d'apercevoir un coin en bordure de la mer, en Italie, où je n'avais fait autrefois que passer, mais qui venait de m'apparaître avec la force d'une hallucination. Dans un éclair visuel plus qu'affectif.

Qu'est-ce que mon cerveau, ou l'ensemble de mon système nerveux, était en train de me signifier par cette réminiscence ? Qu'est-ce que ma mémoire était allée déterrer dans ce nœud de neurones-là ?

Comme je n'en ai pas la moindre idée, du moins pour l'instant, cette anecdote ne peut vous être d'aucun secours sauf pour vous rappeler des expériences similaires. Du revenez-y. Du déjà-vu... Ce sentiment de déjà-vu est d'ailleurs bien connu en psychologie et a fait l'objet d'une petite étude de Freud. Peu concluante à dire vrai. Même si elle nous met sur la bonne voie.

Ce qui nous motive, a conclu le grand Freud, c'est la recherche du plaisir. L'évitement de la douleur. Par tous les moyens, y compris les plus tortueux.

J'ai récemment appris que si l'on devient de plus en plus douillet avec l'âge — « sensible », préfèrent dire certains —, c'est que le corps se souvient de *toutes* ses mauvaises expériences. Des « mauvais coups » : aussi bien le doigt pincé dans une porte qu'une piqûre médicale ou d'insecte. Dans des circonstances analogues, avant même de ressentir la douleur, parfois infime, il se met en boule, aspirant de toutes ses cellules à devenir hérisson... Criant avant d'être touché !

Ainsi les chiens ne supportent pas de passer dans la rue où réside le vétérinaire chez qui, la première fois, ils sont entrés confiants et même joyeux de découvrir un lieu nouveau. Dès lors, le souvenir de leur détresse et des maux infligés — pour leur « bien » ! — est devenu chez eux une seconde nature.

Il en va de même pour nous. Comme s'il y avait accumulation d'expériences jusqu'à la fin où, parfois, à l'heure de l'agonie, on renoue avec le nirvana primitif.

L'extase nous est aussi accordée juste avant et pendant l'orgasme : « Que c'est bon ! » soupire-t-on. Oui, que c'est bon de n'avoir affaire qu'au plaisir ! Toute souffrance abolie ou devenue fantomatique...

Oubliée, vraiment ? Non : tout reste à fleur de conscience. Aucun plaisir n'est vraiment « pur ». Et plus l'on prend de l'âge, accumulant les expériences bonnes et mauvaises, plus on est « sur l'œil », à se demander : qu'est-ce qui va encore m'arriver ?

Claude François ne chantait que l'amour triste, l'amour déçu. « C'est que cela m'est tout le temps arrivé », disait-il. Sa mémoire, en cas de rencontre heureuse, le prévenait aussitôt qu'il ne fallait se fier à un bonheur qui ne pouvait être que transitoire.

Alors, comment vivre en paix avec soi-même à partir d'un certain moment ? C'est le travail auquel s'attelle mon être entier, ces temps-ci. Tous ces « flashes » dont je m'étonne sont une façon de me représenter les plats de ma vie antérieure afin que j'y goûte à nouveau et me dise : « Finalement, c'était plutôt bon ! »

« Tu regretteras tout, a écrit quelqu'un, même tes larmes de douleur. »

En vérité, tout fut éclats de vie, comme on dit éclats de rire.

Et ma mémoire le sait.

Avec la mémoire, c'est folie de croire que tout est oublié, classé, enregistré, déposé dans une urne funéraire au fond de quelque sépulcre personnel.

Un souffle d'air printanier, une phrase attrapée au vol, dans la rue, chez quelqu'un qui vous tourne le dos, au restaurant, dans une queue de cinéma, et tout revient au galop. Poignant. Nostalgique. Douloureux comme jamais.

Rien n'est oublié, tout est seulement perdu !

Nevermore. Mais pourquoi dire « plus jamais » lorsque c'est si présent, si palpable qu'on a le sentiment qu'ils sont là, ceux qu'on aimait et qui sont devenus des absents, nos « proches » ? On va leur parler, les embrasser, les aimer à nouveau ; d'ailleurs on les aime toujours... Ce parfum, l'écho de cette voix... Sûr : tout recommence, on est en train de tout recommencer...

Ce qui m'est arrivé hier avec cet homme.

Assis en face de moi, dans ce peignoir, sur ce fauteuil qui en a tant vu, j'avais le sentiment qu'il incarnait tous les hommes de ma vie. Tous ceux pour lesquels j'ai tant pleuré, soupiré.

Et aussi qu'*ils* étaient là !

« Mais il est là, me répétais-je. De quoi te plains-tu ? Il te parle, te regarde, tu lui réponds, le regardes, le touches au besoin ! »

Oui, mais...

Il est déjà irréel.

Je veux dire que la mémoire — folle pire que l'imagination — est désormais là pour avertir, briser dans l'œuf : tout est éphémère. Il a ôté sa montre-bracelet, mais il va la remettre et partir. Ce que tu aimes en lui, cette délicatesse des attaches, poignets et chevilles, alliée à cette endurance physique, tu ne peux te l'attacher, en faire ta propre substance, seulement la contempler.

Une seconde d'éternité, puis tout passe, s'efface, hormis dans la mémoire, cette garce !

Je les vois, les autres, à travers lui, et lui, que voit-il à travers moi ? Il me parle d'une femme qu'il a aimée — d'une passion abandonnée. Qu'elle aille au diable !

Et moi, et moi ?

Que suis-je, près de lui, dans le vaste mouvement des astres et de l'univers ?

Qu'est-ce que faire l'amour ? Il n'y a pas que les positions du *kama-soutra*, il y a toutes celles que l'on prend à l'intérieur de soi! Aimer de loin, aimer de près, aimer dans l'objectif, aimer rien qu'en pensée... On peut faire tout ça avec un autre, mais on ne peut le retenir dans le temps.

L'heure est écoulée, il se lève, se rhabille, le soleil descend sur les toits de Paris. Un épisode de la saga des amours mortes s'achève.

Divin, délicieux. Torturant.

Mémorisé.

C'est ça : mémorisé.

Pour quoi faire? À quoi bon?

J'aimerais pouvoir tout mettre dans la petite icône au bas à droite de mon ordinateur et cliquer sur *Vider la corbeille*...

Pftt! Ne plus me souvenir ni de toi ni de tes prédécesseurs dans mon cœur. Ne me souvenir que de moi. M'en remplir le cœur.

Change !

C'est une injonction, presque un ordre, qui vous sonne aux oreilles toute la vie !

Change de coiffure, change d'appartement, change de ton, change de voiture, change d'homme...

Ou encore : Change de job, change d'éditeur, change de vie, change d'âge (fais-toi faire un lifting), change de médecin, de dentiste, de lieu de vacances, d'amant, d'époux, de chien, de n'importe quoi, mais change !

Jusqu'au coup final : Va donc chez le « psy » et fais-toi changer l'intérieur de la tête !

Sous tout ce beau discours répétitif, irritant, impossible à suivre au pied de la lettre, n'y a-t-il pas qu'un seul souhait, un unique désir applicable à soi comme à l'autre ? « Oublie » ?

Autrement dit : change de mémoire.

L'une des lois de la vie est la répétition. La chaîne de l'A.D.N. en est le support : génération après génération de microbes, de plantes, d'animaux, d'êtres humains, les gènes reproduisent ce qu'un organisme a emmagasiné et appris à faire. Notre mémoire fondamentale, celle de la vie, est inscrite dans chacune de nos cellules. Quel boulot, sinon, de se remémorer tout ça !

Toutefois, rien ne se reproduit à l'identique, rien n'est « cloné » ; sinon nous en serions encore aux cavernes. Voire aux protozoaires. Au cours de l'immense, fantastique *remake* qu'est la perpétuation de la vie sur Terre, il y a eu, il y a des changements. Microscopiques autant qu'énormes. Le passage des dinosaures au grand singe, puis à nous, en est un de taille.

Mais où s'opère le « saut », autrement dit l'arrêt dans la répétition pour passer à l'invention ? En somme, où commence l'« oubli » ?

Quand oublie-t-on de fermer la porte après le retour du « même », ce qui permet au démon du « nouveau » de s'engouffrer ?

Et, à ce propos, qu'est-ce que le *nouveau* ?

Les princes de la mode, donc du changement, ne cessent de dire qu'ils s'inspirent du passé, du costume traditionnel, ou de Madeleine Vionnet, de Balenciaga, etc. Pourtant, ce qu'ils font est nouveau. Depuis les peaux de bête, on ne s'est jamais habillés comme nous habillent Alaïa ou Galliano.

Changer est d'ailleurs un mot de la couture que j'ai entendu mille fois, dix mille fois dans mon enfance auprès de Maman et de marraine Vionnet, et que je continue d'entendre dans le studio de Sonia Rykiel quand j'ai la chance d'y être admise :

« Il faut changer le décolleté, la manche, la forme des boutons, la longueur de jupe, les accessoires, les couleurs, etc. »

Pour ce qui est de changer la femme, cela devient presque aussi obligatoire que de changer de vêtement. L'anorexie, la chirurgie, la teinture, les greffes, tout le tremblement des régimes et des technologies de pointe s'y emploient.

Moi-même, j'ai écrit là-dessus un petit poème dont je ne vais pas vous faire grâce :

> *Changeons d'idée*
> *changeons de cœur*
> *changeons de femme*
> *changeons d'humeur*
> *changeons de ciel*
> *changeons d'épée*
> *changeons d'amour*
> *changeons de tout*
>
> *mais ne changeons pas de lumière !*

Changeons de tout, oui, mais gardons notre lumière intérieure, celle qui nous avertit que la roue tourne, et la route... Et que nous ferions bien d'en faire autant !

Étrangement, nous préférons changer d'amour plutôt que nous changer. Et voilà qu'avec un nouvel homme, une nouvelle femme, nous nous retrouvons — bizarre, bizarre! — exactement dans la même situation. (Lire et relire *La Modification* de Michel Butor, un roman pour nous rappeler — entre autres — qu'on ne se change pas en glissant d'un chéri à l'autre!)

Toute la vie, sur le plan affectif, nous ne faisons que nous répéter, d'abord haut et fort, puis moins fort, puis *mezzo voce*, puis tout-doux tout-doux, puis plus du tout... Mais c'est toujours la même chanson.

Pourtant, me répéter m'agace, me dérange, me déplaît. J'ai envie de changer l'air de ma petite musique!

D'où mon long recours à l'analyse, laquelle, n'en déplaise aux grincheux qui la traitent de panacée, vous modifie en profondeur. Si c'est réussi, si on travaille bien, à partir d'un certain moment, on ne se répète plus!

Là est le point important : la méthode psychanalytique vous permet d'oublier. Vos tics, vos habitudes, vos faux-plis, en somme vos névroses.

Non qu'elle vous contraigne de force à enterrer vos souvenirs en même temps que la hache de guerre, mais elle ouvre tout grand les vannes de l'oubli.

S'y précipite ce qui vous martyrise et vous contraint à ce supplice qu'est la répétition. (La goutte d'eau des anciens Chinois, orfèvres en la matière!)

Une fois qu'on a oublié *pour de bon*, alors, on va pouvoir changer *pour de vrai*.

Créer, inventer.

Le but d'une analyse est de faire qu'on devienne « soi », répète la rumeur quand elle se veut positive.

Je ne sais ce que c'est qu'être moi — mais je sais à mes dépens ce que c'est qu'être une autre, au fil des ans.

Il existe en nous une forte mémoire des menus faits du quotidien. Presque inconsciente, tous les jours je m'appuie sur elle pour enregistrer — à mon insu — si j'ai bien verrouillé la porte d'entrée, éteint la lumière du jardin, reposé le téléphone sur son socle, avalé mes comprimés vitaminés, etc.

Ce matin, par exemple, je ne me souvenais pas d'avoir allumé la lampe du petit cabinet de toilette du premier ; pourtant elle y était. L'aurais-je laissée d'hier ? Je m'en serais aperçue en allant faire le café. Étant donné que je suis seule dans la maison, que s'est-il passé ? Ce léger mystère m'agace : d'habitude, je me rappelle très bien tous mes gestes ménagers. Ainsi, je sais parfaitement ce que j'ai rangé dans le réfrigérateur ou laissé dans un plat sur le dessus. Je sais aussi — avec une précision qui m'amuse, parce qu'elle vient droit de l'animal en moi — qu'il reste encore un morceau de gâteau au chocolat ou que j'ai posé ma tartine entamé sur un meuble tout en mastiquant et en m'occupant à autre chose. Lorsque je ne retrouve pas la dernière bouchée laissée sur un coin de table — je suis sûre de ne pas l'avoir avalée, mon estomac le sait, j'en salive encore —, je finis par deviner ce qui s'est passé : Léon s'est dressé sur ses pattes arrière pour se l'attribuer dans mon dos — et lui, sans mâcher ! Il sait que, s'il mâche, je vais le soupçonner.

Je ne fais aucun effort particulier pour me souvenir de ces gestes du quotidien qui s'effacent d'eux-mêmes. Certains, pourtant, ne s'enregistrent que si j'y pense : où ai-je mis mon sac à main en rentrant, déposé ma montre-bracelet, ma bague, le dernier fax reçu ?

C'est si horripilant d'avoir à les chercher que je me contrains à déposer les objets usuels toujours au même endroit. Quand je ne le fais pas et que le cirque recommence — où donc est passé mon sac à main ? —, je me jure d'y veiller la prochaine fois.

Mais pourquoi la mémoire choisit-elle d'enregistrer certains petits faits plutôt que d'autres ? À y réfléchir, il me semble que nous retenons sans faillir ce qui a trait à notre sécurité et à notre alimentation — autrement dit au primitif en nous. Comme font les animaux. Si vous perdez votre chien en promenade, il reviendra vous attendre là où il vous a vu pour la dernière fois. Quant à savoir dans quelle boîte vous avez rangé les biscuits, même si vous l'avez mise par mégarde dans un autre placard, vous pouvez compter sur lui! Il sait aussi s'il reste du pâté ou du rôti de dinde. Il ira s'asseoir devant le réfrigérateur ou au bas du meuble où le plat est posé, jusqu'à ce que vous teniez compte de son — discret — rappel : « Il y a encore du bon-manger par là, est-ce que tu t'en souviens, toi ? »

La mémoire de l'animal domestique est encore plus opiniâtre que la nôtre : il n'oublie pas un chemin, ni le lieu où il a rencontré et attrapé une fois — le monstre! — un oiseau, ni qui lui a administré un coup de pied ou de canne, ni qu'il s'est fait mal contre un barbelé ou en franchissant une porte que le vent a refermée sur lui.

Indéfiniment il en tiendra compte.

Bien qu'il sache aussi comptabiliser les coups « nuls » : au bout de plusieurs tentatives, s'il revient bredouille du fourré où un gibier lui était apparu, il n'y retournera plus.

De même pour l'absence : il finit par renoncer.

Après la mort de mon père, à chacun de nos retours, les chiens faisaient au galop le tour de la maison pour le chercher, ce qui m'émouvait aux larmes. Puis ils ont cessé. Le compte était bon, le deuil fait ?

Toutefois, ils n'oublient jamais vraiment ceux qu'ils ont aimés.

Longue est la mémoire du cœur, plus longue encore que celle de l'estomac.

Inutile que je me fasse des illusions : on n'oublie jamais un chagrin d'amour. J'en viens même à me demander s'il ne survit pas à la mémoire!

Quand on en parle, on dit *la* mémoire, ou *ma* mémoire. En réalité, il y a *des* mémoires multiples, aussi bien hors de nous qu'en nous.

Mon estomac, par exemple, a la sienne propre : je me coupe un morceau de fromage dans la cuisine et, debout, commence à le grignoter, puis je passe à autre chose — répondre au téléphone, aller ouvrir la porte — et pose n'importe où mon bout de gruyère non terminé. Je ne sais plus où il est, j'ai même oublié que j'avais commencé à le manger, mais pas mon estomac : « Hé, ho ! me rappelle-t-il. Je n'ai pas consommé l'entier de ce que tu m'as promis ! »

Et de se mettre à chercher pour faire taire la « bête »...

Où loge la mémoire, à ce moment-là ? Pas dans la tête, qui ne se souvenait plus de rien... Y aurait-il connivences corporelles entre les yeux, qui ont estimé la dimension du morceau de fromage restant, la bouche qui a salivé, l'estomac qui s'impatiente ? Chaque partie de mon anatomie me rappelle ainsi à l'ordre (à son ordre ?). Essayez, par exemple, de ne savonner que la moitié de votre corps sous la douche, vous verrez comme l'autre va réclamer. Si vous vous êtes cogné le tibia contre le pied d'une table, chaque fois que vous vous assiérez à cette place-là, vos jambes se replieront. « Instinctivement », comme on dit de tout ce qui échappe à la conscience.

Mais pas aux mémoires du corps !

Serions-nous équipés à notre insu d'une mémoire du plaisir et de la peine, qui fonctionnerait toute seule en nous — sans moralité ? Pour elle, tout ce qui apporte satisfaction est bon, tout ce qui frustre ou blesse est mauvais.

Prêtez-y attention : quand vous circulez sur la planète, ou dans votre ville, ou votre appartement, fût-ce même dans une seule pièce, vous êtes sans cesse en train de mettre des « notes » sur ce qui est plaisant ou déplaisant, dangereux ou pas dangereux. Ainsi le carrelage glacé sous vos pieds nus est déplaisant, la moquette bonne, le plancher acceptable. Le placard aux biscuits vous attire ; si vous ne vous y arrêtez pas, il vous fait quand même plaisir à voir au passage (la vraie satisfaction viendra plus tard).

La prise électrique est à éviter, l'eau qui bout aussi.

Entrons dans le symbolique : une peinture sur l'un de vos murs vous fait du « bien » quand vous la regardez, un autre tableau vous rappelle quelque drame familial et vous l'évitez...

À l'instar d'une carte du Tendre (ou d'un champ de mines ?), c'est une carte du *bon/pas-bon* que vous parcourez en allant et venant, toutes vos mémoires au travail et en alerte.

Grâce à quoi vous parvenez à rester vivant. Sinon, il y a beau temps que vous vous seriez retrouvé le corps en charpie, mutilé ou écrasé dans la rue !

Reste notre cœur... C'est là que ça devient coton ! Dans le domaine des sentiments, le *bon/pas-bon* n'est pas simple, et quand le feu passe au rouge face à tel ou tel être, il arrive qu'on n'en tienne aucun compte et qu'on y aille quand même.

C'est comme ça qu'on attrape des chagrins d'amour, des blessures parfois mortelles, voire des M.S.T. !

Sans cesse, sur le plan affectif, on se hasarde et prend des risques.

Comme d'ailleurs se conduisent sur le plan physique les grands sportifs : guère mieux que des amoureux méprisant toutes les lois de la sécurité.

Pauvres mémoires, alors ! Elles ont beau s'égosiller, on passe outre, on se précipite dans la pente, le vide, le brasier...

C'est qu'au-delà de la barrière qui avertit « DANGER ! », on a flairé que nous attend une jouissance plus puissante : gain d'argent, de prestige, de plaisir.

On se sent alors tiraillé entre deux mémoires : celle qui dit : « Rappelle-toi, c'est comme ça qu'on se casse la figure ! », et celle qui clame : « Rappelle-toi, c'est en prenant des risques qu'on touche le jackpot ! »

À laquelle céder ?

Cela dépend des moments... mais aussi d'une troisième mémoire. Celle qui nous souffle : « Tu t'es déjà crashé, mais tu as trouvé en toi la force de te réparer, de t'en sortir... »

La mémoire vive, celle que je préfère !

Et si la jalousie n'était qu'une maladie de la mémoire ? L'enfièvrement excessif du « Je me souviens ? »

Mais non, va-t-on objecter, c'est une maladie de l'imagination. On voit comme si on y était ce dont on n'est pas témoin, on soupçonne, on subodore, on invente à tort — n'est-ce pas de l'imagination, ça ?

Réfléchissons ensemble : comment pourrait-on imaginer avec un tel luxe de détails les cris, les émois, les postures de la personne jalousée dans les bras d'un autre, si on n'était pas déjà passé par là avec elle ?

D'ailleurs, pour ce qui me concerne (Dieu sait si je suis encline à la jalousie), je ne peux être véritablement jalouse que de l'« après » — j'entends par là l'« après-moi » —, jamais de l'avant ! Même s'il ne s'agit que d'une aventure à peine esquissée entre un homme et moi, j'éprouve un vif élan de jalousie lorsque celui qui me courtise tourne soudain ses regards vers une autre. C'est que j'ai bénéficié de son attention, j'ai été l'objet de son désir, fût-il inexprimé, et j'y ai pris goût. Et ses empressements, ses « petits soins », ses assiduités, si je tolère mal de les voir maintenant accordés à une autre, c'est que je sais trop bien comment cet homme-là procède : baisers dans le cou, mèche relevée, sourire yeux dans les yeux, petits mots taquins, compliments prometteurs. Ces gentillesses vous paraissent banales ? Rappelez-vous : aucun homme ne fait sa cour exactement de la même façon, il invente et innove pour vous, grâce à vous.

Une fois son nouvel appareil de séduction mis au point et expérimenté sur vous, s'il s'en sert pour en conquérir une autre, quel dépit, quelle douleur — en fait, quelle jalousie !

Et c'est de la mémoire : cet homme se souvient de ce qui a « marché » avec vous pour entamer sa nouvelle campagne ! Quant à vous, vous souffrez de concevoir avec autant de réalisme le déroulement d'un film dont vous ne faites plus partie.

« Vous vous trompez, tout cela n'est qu'imagination ! » redites-vous.

Je vous assure que c'est de la mémoire ! La preuve : c'est douloureux. Or, rien de ce qu'on imagine sans y avoir goûté personnellement n'affecte avec autant de cruauté.

La jalousie est un deuil mal fait, un oubli non consommé, une mémoire qui ne lâche pas prise. À vrai dire, qui ne veut pas devenir mémoire — pourtant sa vocation.

198

Une mémoire qui veut éterniser le présent!

Or, c'est impossible.

Il s'agit donc d'une maladie.

Maladie d'amour, maladie de la mémoire...

On peut contraindre la mémoire à se rappeler, tout comme à oublier, et elle feint d'obéir. Faux oubli, souvent démenti au mauvais moment, ce qui provoque la gaffe : qui n'a prononcé le nom de la maîtresse pour celui de l'épouse, appelé une amie du nom de sa sœur haïe, évoqué quelque épisode où notre vis-à-vis a fait mauvaise figure et qu'il prétend non advenu ? Tous nous avons parlé de résistance à un collaborateur, de tromperie à un cocu, d'embonpoint à une personne enveloppée... Tous !

Quelque chose se fige alors à l'intérieur de nous, nous battons notre coulpe, recherchons une branche, c'est-à-dire un autre mot auquel nous raccrocher, tout en maudissant notre mémoire qui en a fait trop (elle n'aurait pas pu oublier *jusqu'au bout* ?) ou pas assez (elle aurait dû nous prévenir que le terrain était miné).

Mais que survienne un événement pour nous traumatique, et l'amnésie s'installe.

Chacun sait qu'on oublie tout des heures, des minutes qui précèdent un accident. Ainsi de l'énorme bouleversement que représente pour chacun sa naissance. Quoique psychanalystes et autres thaumaturges prétendent qu'on peut parvenir à retrouver les incidents et sensations de sa naissance, accompagnés de quelques souvenirs intra-utérins... Cela ne m'est guère arrivé, même sur le divan, à ce qu'il m'en semble, mais j'accepte de le croire tant je sais la mémoire — la maligne, l'insubordonnée ! — capable de tout.

C'est Charlotte Delbo, dans un terrible et magnifique livre sur les camps — *Convoi X* —, qui décrit un fantastique exploit de mémoire. Dans des situations de déréliction où, pour survivre, il est vital de s'accrocher aux bonheurs passés, certains détenus se récitent mutuellement des recettes de cuisine (Jean Camprol, autre rescapé de la Nuit et du Brouillard, a raconté la même chose). Charlotte et ses compagnes d'enfermement concentrationnaire entreprirent et réussirent à reconstituer intégralement des textes littéraires appris ou seulement lus, parfois en classe. Des tragédies entières de Corneille et de Racine, tous les poèmes de Baudelaire, de Rimbaud leur revinrent.

Est-ce parce que cet exploit de la mémoire m'a frappée ? Des décennies plus tard, je m'en souviens encore, moi qui n'ai fait que le lire.

D'autant plus que tout y va à l'encontre de ce qu'on vous serine. Le cerveau aurait besoin d'une diététique, d'une nourriture particulière, de substances chimiques précises pour assurer le bon fonctionnement de ses synapses. En particulier de sélénium pour pouvoir enregistrer et se souvenir. Or, dans les camps, rien de semblable, sinon le désir de survivre. Et d'aimer.

Car c'est aimer que de réciter ou composer de la poésie dans des situations extrêmes. Ce que fit Robert Desnos avant de mourir à Terezin.

Tous en sont-ils capables ? Dans les circonstances ordinaires, sûrement pas. Mais le film de leur vie, de tout ce que chacun a connu, observé, ressenti, s'est certainement enregistré, même s'il n'est pas accessible ni disponible à la demande. Ne dit-on pas qu'à l'instant de ce qui apparaît comme la mort, ceux qui, par miracle, en sont revenus, déclarent avoir vu défiler leur existence depuis le tout début, avec même ses chapitres oubliés ?

Sait-on si les animaux n'en font pas autant ? En tout cas, l'ultime regard d'un chien mourant, d'une vache à l'abattoir, d'un cochon à l'égorgement, est d'un pathétique insoutenable. Et s'ils se souvenaient eux aussi des meilleurs moments de leur bonheur d'êtres vivants ?

Consolante, la mémoire ? Ou torturante ? C'est presque un duel, un combat seul à seule que nous menons avec elle. Plus cela va, plus je décide de le gagner en lui imposant mes décisions, à ma rétive mémoire...

Ainsi pour les lieux où j'ai pris racine et vie. Je veux continuer à les habiter, les fréquenter, et, bon gré mal gré, j'y reste !

De même pour ceux que j'ai aimés. Je peux ne plus les voir pour avoir eu avec eux des guerres intimes qui nous ont séparés — mais rien ne fera que je cesse de les aimer. Ma mémoire en est garante.

« Vous voilà bien frimeuse ! » me dira-t-on.

Est-ce dû à toutes ces longues stations sur des divans d'analyste, mais j'ai pris le pli de me laisser guider par ce qui me vient à l'esprit, donc à la mémoire. Le torrent défile comme à son gré, une association en appelle une autre. Mais soudain la volonté reprend le dessus : il s'agit de trier, choisir ce qu'on décide de conserver ou de jeter aux orties... C'est là qu'on s'aperçoit que la mémoire s'éduque. Qu'on peut la dresser comme un chien courant qu'on met sur une piste, pour l'arrêter net, d'un sifflement. Elle reste alors une patte en l'air : « Tu n'en veux plus, de ce souvenir-là ? »

Non, madame la Mémoire, cette rancœur, cette haine, ce geste déplaisant, cette tromperie, ces injures, tu vas me jeter ça à la corbeille comme fait un ordinateur bien-appris. Je ne veux plus sur mon écran que le meilleur, ce qui me permet de continuer à aimer. Donc à me sentir aimée.

Le temps se fait court et la lune est à son dernier quartier.

Et voici que je la donne en spectacle!

Quoi? Mais ma mémoire...

C'est en tout cas la sensation que j'ai eue en assistant pour la première fois à la représentation d'une pièce que j'avais écrite il y a plus de quinze ans, aujourd'hui montée et jouée dans un théâtre parisien.

Ces émotions, ces mots, ces situations, cela sort d'où, appartient à qui?

Pourquoi pas *à moi*?

Pour la raison que je ne les possède plus; en tout cas, pas sous cette forme, dans cette formulation.

Le public applaudit, félicite. Qui?

Une personne que j'ai sans doute été et que je ne suis plus.

Je fais un effort — de mémoire : dans quelles conditions, où, pourquoi ai-je écrit ce texte? Je me souviens de l'avoir rédigé en l'espace de trois jours dans mon appartement parisien, et qu'il m'est venu comme une fusée... D'où?

De ma mémoire, bien sûr! Autrement,

son surgissement — à peu près sans correction — n'aurait pas été aussi fulgurant.

Je n'avais ni à chercher ni à inventer, tout était là, présent — j'ai envie de dire : le petit doigt sur la couture du pantalon ! Prêt, attendant que j'ouvre la porte du placard.

Et *ça* s'est précipité de peur que je ne referme la trappe avant que la chose ne soit complètement sortie. Un moment d'intense satisfaction pour ma mémoire et pour moi : j'étais soulagée ! (Non, je n'irai pas au bout de la comparaison que ce vocable dernier appelle... Et pourtant !)

À l'époque déjà, j'avais le sentiment confus que ce qui m'arrivait si facilement était une concrétion de ma mémoire. Quelque chose avait continuellement travaillé dans les profondeurs de mon inconscient, utilisant des bribes de scènes vécues, des réminiscences de conversations oubliées, les remugles d'une situation affective ou professionnelle...

Pour confectionner ce pot-au-feu, cette soupe-à-tout qu'on nomme création.

C'est le mot qu'ont utilisé le producteur, le réalisateur et les comédiens lorsqu'ils ont monté la pièce : une création !

À mon tour de féliciter ! Je déclare aux acteurs : « Vous êtes formidables, tellement vrais, si justes... »

(Et sans trous de mémoire !...)

« C'est que j'ai le sentiment que ces mots

m'appartiennent, me dit Sylvie. Je les ressens tout au fond de moi... »

Sa mémoire, là aussi !

Quant à Éric, c'est encore plus net : « Quand j'ai lu cette pièce, j'ai été bouleversé. J'ai tout de suite su que je l'attendais !... »

Une partie de ce jeune homme espérait donc mes mots pour s'y retrouver ? Laquelle, sinon sa propre mémoire, nourrie de son propre vécu ?

Les spectateurs aussi, si on les prend un à un, disent qu'ils s'y « reconnaissent »...

Nous voici donc en pays de connaissance, ou de reconnaissance : on met l'ensemble dans le pot commun, on touille, et ça concocte une pièce, laquelle fait catharsis. Ce qu'on avait au fond de soi est enfin dit ! Plus encore : c'est montré, joué. Après quoi, on se sent mieux...

Avec mes spectateurs d'un soir, nous partageons le plus précieux, l'élément avec lequel nous fabriquons jour après jour notre humanité individuelle et collective : la mémoire.

Entrez dans ma mémoire, elle est ouverte au vent de l'Histoire et au souffle de l'amour ! Prenez mes souvenirs, j'en ai à revendre et en aurai bien d'autres !

Au début d'un amour, n'est-ce pas la première chose que l'on fait : raconter sa vie, offrir ses souvenirs, faire pénétrer le nouvel aimé dans les replis les plus secrets de son passé ?

Viens chez moi, y a du feu.

Accumulés depuis des années dans les catacombes du temps perdu, les trésors de ma mémoire se font présents pour toi.

Quelle flambée !

Après quoi, ce sera le bon silence.

En amour, tout fait mémoire — comme on dit « tout fait ventre » —, tout compte et se comptabilise. Chaque geste, chaque mot prononcé. Tout ouvre l'avenir ou au contraire le réduit.

Je me souviens avec bonheur, joie, même, de chacun des premiers baisers que m'ont donnés les hommes qui devaient compter. L'inaugural : celui de ce garçon de dix-sept ans sur une terrasse, à Megève. Premier flirt, lequel débuta sous les étoiles ma vie d'amoureuse. Un peu plus tard, un homme qui venait de me sauver de la noyade en mer me réchauffait dans un peignoir : soudain, il m'embrasse pour la première fois sur les lèvres, avant de m'épouser un peu plus tard. Il y a eu le baiser dans le cou de cet autre à qui je venais de dire bonsoir et que je m'apprêtais à reconduire ; ce premier baiser a été vite suivi de plusieurs autres et *il* est resté auprès de moi... quatre ans. Quelle émotion, aussi, lorsque ce bel homme auquel je ne songeais pas comme à un amant possible s'est incliné et m'a baisée sur la bouche alors qu'assise à une table, je téléphonais ? Je n'ai pu m'en défendre, ni lui manifester ma surprise heureuse — du moins dans l'instant. Récemment, cet autre, se penchant vers moi par la vitre de ma voiture au moment où je démarrais : « J'en avais envie... », m'a-t-il seulement dit ; un avenir d'amour s'est alors ouvert devant nous sans que j'en aie eu le moins du monde conscience...

Certains de ces hommes — pas tous — sont sortis de ma vie. Nullement leur baiser. C'est donc vrai : l'amour fait mémoire ? Ou serait-ce qu'il en vient ?

Cinq petits chiots sont nés entre mes mains par une nuit de juillet. Au matin, j'en ai pris un au hasard pour l'apporter à mon père, assis en robe de chambre à la table où il prenait son petit déjeuner. Je tenais à deux mains la petite boule tiède aux yeux clos et l'ai approchée du visage de mon père qui n'y voyait plus très bien. Il a poussé un léger cri de bonheur et a aussitôt embrassé le bébé chien. Son élan de joie devant ce minuscule nouveau-né m'a bouleversée. Aujourd'hui, je me dis que cet homme a dû forcément avoir le même à mon égard, le jour de ma naissance.

L'émotion que me procure tout premier baiser doit être une réminiscence de l'accueil que me réserva alors mon père et qui signifiait : « Je suis heureux que tu existes et te veux telle que tu es. »

Mon goût renouvelé pour la vie vient de l'amour toujours recommencé que m'accordent les hommes.

Par ce bel après-midi d'avril, au dernier étage de ma petite maison de province, je fais la sieste, mes chiens au pied de mon lit, oubliant tout. Même le fait que j'ai mis un poulet à cuire sur le feu... C'est une fois descendue du second et en approchant de la cuisine que le tressautement du fait-tout en aluminium, bruyant comme une machine à vapeur sur le point d'exploser, m'alerte et ravive ma mémoire : ciel, le poulet ! Il ne doit plus y avoir d'eau dans le fait-tout, elle s'est totalement évaporée, depuis le temps, avec le gaz allumé en grand. Je me précipite et commets l'erreur fatale : je soulève le couvercle pour estimer l'ampleur des dégâts, sans avoir pris soin de débrancher la hotte aspirante. Une petite flamme sort du poulet carbonisé et est aussitôt aspirée par la hotte, laquelle, non nettoyée, enduite de gras — c'est toujours le cas, me diront les pompiers —, s'embrase sur-le-champ. En quelques instants, les flammes parcourent le conduit et jaillissent sur le toit.

C'est là qu'intervient ce que j'ai baptisé la « mémoire d'urgence ».

Alors que je ne pense guère d'habitude à cet objet d'usage courant, j'ai aussitôt à l'esprit — en sus du 18, numéro des pompiers — l'image du tuyau d'arrosage du jardin. Lequel — de cela aussi, je me souviens aussitôt — est actuellement branché et suffisamment long pour aboutir à la cuisinière, à condition de le passer par la fenêtre. En un instant, j'ai ouvert ladite fenêtre, tourné le robinet d'eau du jardin, tiré le tuyau et commencé à asperger le feu. Une fois les premières flammes calmées, je me précipite sur le téléphone pour appeler les pompiers.

Lorsqu'ils arrivent, quelques minutes plus tard, si la fumée est abondante, le feu est éteint. Toutefois, les jeunes préposés escaladent le toit pour ne pas laisser la moindre braise en activité.

Je me souviens alors — là, c'est la mémoire du soulagement et du plaisir qui entre en jeu — de la bouteille de champagne qui est au frigo ! J'éprouve le besoin de me remonter en compagnie des pompiers, et aussi de me congratuler, car je ne suis pas peu fière ! On l'est d'ailleurs toujours lorsqu'on vient de faire face à une urgence — qu'on ait rencontré le succès, total ou partiel, ou même l'échec.

La leçon a porté : je ne sors plus de chez

moi sans vérifier deux et même trois fois
que rien n'est resté sur le feu. Il m'arrive
aussi, hors de la maison, de revenir sur mes
pas constater encore que le gaz est bien
fermé. (Ailleurs, ce sera une plaque de cuis-
son électrique, une flambée dans la cheminée, un robinet d'eau, un verrou.) C'est que
l'incident dont je suis sortie victorieuse en
dépit des dégâts, m'a traumatisée.

Tous, nous faisons appel à notre « mémoire d'urgence » à l'occasion de
n'importe quel accident, qu'il soit minime
ou aussi catastrophique qu'une collision
automobile, un cyclone, une éruption vol-
canique, qu'il se produise à la maison,
dans la rue, en voiture, en bateau, en train
ou dans un lieu public. Les secouristes de
métier ont, pour leur part, cent fois répété
les gestes qu'il faut et les accomplissent
automatiquement. Mais, pour nous, les
quidams non entraînés au surgissement
brutal du drame, d'où nous vient cette sub-
tile lucidité — presque tout le monde l'a —
qui nous fait concevoir sur-le-champ la
parade ? Ce qu'on appelle les « premiers
gestes » à faire ? D'où vient que nous nous
rappelions sur-le-champ l'emplacement de
ce qui va pouvoir nous servir d'instrument
de sauvetage, fût-ce en le détournant de
son emploi usuel ? L'objet lourd pour casser une vitre, enfoncer une porte, la cou-
verture pour éteindre un feu, le drap de lit
à accrocher à un balcon, le téléphone le

plus proche, le numéro à composer, le vase plein d'eau, la fiasque de cognac, ce qui va devenir corde, marteau, échelle... Et beaucoup d'autres élaborations plus subtiles ou plus insolites.

Chacun n'a-t-il pas le souvenir d'une situation où il s'est surpris lui-même en se révélant non seulement efficace, mais inventif ? À croire que, tandis que nous vaquons paisiblement à nos occupations, quelque chose en nous visualise sans cesse ce qui pourra servir pour le cas où... Quand le quotidien va déraper, la machine se détraquer... C'est comme si chacun se constituait en permanence une trousse d'intervention d'urgence selon les lieux, les circonstances ou son propre tempérament...

L'atavisme doit également jouer en nous, bien qu'il ne suffise pas à l'espèce humaine qui doit s'adapter aux situations toujours nouvelles créées par le développement de la technologie — ce qu'on nomme le progrès.

Or, par définition, nous ne pouvons avoir la mémoire du progrès. Juste la prévision de ses conséquences, c'est-à-dire de la « panne ».

La mémoire d'urgence ne serait-elle alors qu'une formidable machine à faire face à des pannes de tous ordres ? Livrée en *kit* — toutes sortes d'objets, de conseils, de souvenirs, d'injonctions, d'anecdotes, d'images, disséminés en pièces détachées dans notre cerveau —, elle se monterait en un instant !

Mais comment se fait-il qu'aussi bien appareillés, nous succombions tout de même à une série de dangers prévus autant qu'imprévus ? (La drogue, l'arme atomique, la pollution, la vitesse, le sida...)

Panne de mémoire ?

Ou panne du désir de vivre ?

À croire que la mémoire, c'est la vie décidée à survivre. Quand elle ne l'est plus — que ce soit chez vous, chez moi ou au niveau de l'espèce —, eh bien...

Table

Composition réalisée par EURONUMÉRIQUE

Imprimé en France sur Presse Offset par

BRODARD & TAUPIN

GROUPE CPI

La Flèche (Sarthe),
N° d'imprimeur : 9696 – Dépôt légal Édit. 13447-11/2001
LIBRAIRIE GÉNÉRALE FRANÇAISE - 43, quai de Grenelle - 75015 Paris.
ISBN : 2 - 253 - 15176 - 9